UM CALAFRIO DIÁRIO

Supervisão Editorial: J. Guinsburg
Assessoria Editorial: Plinio Martins Filho
Projeto Gráfico e Capa: Sergio Kon
Produção: Ricardo Neves, Heda Maria Lopes e Raquel Fernandes Abranches

UM
RENATA
CALAFRIO
PALLOTTINI
DIÁRIO

EDITORA PERSPECTIVA

Dados Internacionais de Catalogação na Publicação (CIP)
(Câmara Brasileira do Livro, SP, Brasil)

Pallottini, Renata
   Um calafrio diário / Renata Pallottini. --
São Paulo : Perspectiva, 2002.

ISBN 85-273-0310-8

1. Poesia brasileira I. Título.

02-5263   CDD-869.91

Índices para catálogo sistemático:
1. Poesia : Literatura brasileira   869.91

Direitos reservados à

EDITORA PERSPECTIVA S.A.

Av. Brigadeiro Luís Antônio, 3025
01401-000 São Paulo SP Brasil
Telefax: (0--11) 3885-8388
www.editoraperspectiva.com.br

2002

SUMÁRIO

ÀS MÃES E AOS PAIS DE UM

Às Mães e aos Pais de Um 17
Os Ancestrais 19
Jahu 21
Rua Brasil 23
O Moinho da Estação 25
Jaboticabeira 27
Hoje Eu Vi o Teu Corpo... 28
Dama de Ouros 29
Poema 30
Morro Branco 31
Fidalgo 33
Poema 35
Velhice 36
Ontem 37
Soneto de Ontem 38
Essa Ciência 39
Muerta Madrid 41
Azul Como a Fumaça... 43
O Que? 44

A PORÇÃO DE CHUMBO

Mulher Longeva 47
Chupa-Cabra 48
Tudo 49
Primavera 54

Doméstica 58
Cansado de Mentir 59
Inverno 60
A um Homossexual Assassinado 62
Jornal 63
Algo 64
Nada a Lamentar 65
Estupro 66
Sobre o Campo Minado 67

NA GLÓRIA

Na Glória 71
Sexo/Amor 72
As Meninas da Rua 17 73
Falar Contigo 74
Poema 75
Viagem 76
Suor 77
Atira para o Mar 79
No Canto Mais Deserto de Varadero 80
Estar 81
Tentativa 82
Estende sobre Mim... 83
Meu Anjo 84
Navios 85
Marinheiro 87

Pensa-me...	88
Ninguém Sabe	89
História Mal Contada na Infância	90
Espelhos	91
Quando Penso em Morrer	92
Tão Triste como um Terno Azul-Marinho...	94
Diante do Lago sem Nome...	96
Querido	97
Imóvel no Negror da Noite...	98
Devoção	99
Amantes Exemplares	100

ARTE POÉTICA

O Tempo do Silêncio	103
Lua	104
Noite	105
Lavar	106
Vida	107
Longe	108
Quanto	109
Conta-Gotas	110
Pena (Poética)	112
Poeta que Lembra	113
Poemas Não São para Serem Publicados	114
Dor Morta	116
Escaras	117

CANÇÃO DO ASILO

Tão Preciosa a Fímbria 121
Ferida 122
Os Loucos de Antes 124
Os Loucos de Antes II 125
Canção do Asilo 126

CARTAS DE DRUMMOND 137
Cartas de Carlos Drummond de Andrade a Renata Pallottini

O EXERCÍCIO DA POESIA
Textos de Elza Cunha de Vincenzo

O Exercício da Poesia 163
O Coração Americano de Renata Pallottini 188
Uma Poética para o Povo 193
Renata Volta Inventando Aves 201
Renata do Tietê 204
Renata Pallottini, Uma Viagem 208

ÀS MÃES E AOS PAIS DE UM

ÀS MÃES E AOS PAIS DE UM

Às mães, em sua natureza de água
e aos pais, na sua certeza de árvore.

E a Um, que é sempre frágil,
quando nasce, tão quase inacabado.

Um busca sempre a carne pra sugá-la
mas se engana quem pensa
que procura um orgasmo.

Um busca a explicação e o complemento
a razão do seu riso, de sua fome.
Um sabe bem que o inauguraram
provavelmente antes do tempo
para errar de muitos jeitos.
E quer logo saber
que castigo, afinal,
é o que vai receber.

Ou é mais audacioso e decidido
e quer provas de amor
talvez beijo mais límpido.
Um sabe que isso vai garantir sua vida
nos próximos três anos e três dias.

Os pais e as mães se separam e vivem,
são bons, cruéis, devassos, possessivos,
ou, mais singelamente,
largam de mão seus filhos
pois afinal não é assim que fazem os bichos?

Ou muito mais singelamente ainda
sacrificam suas vidas
seu sexo, suas noites e seus dias
para que Um, por fim,
possa ser infeliz alegremente ou não
mas cheio de sentido.

Ser humano cabal sujeito a artes inversas:
coração
encerrado
entre costelas.

OS ANCESTRAIS

Os ancestrais não eram
melhores que nós mesmos.
Eram mais velhos e viviam
num mundo onde eram menos.

Os ancestrais tinham medo
e mentiam como todos.
Eram feios ou belos
e invejavam os outros.

Fizeram sem sabê-lo
isso que somos nós.
Depois se foram, como iremos,
e nós deixaram sós.

Nos fizeram por gosto
porque lhes aprouve fazer-nos
porque gozaram e nos deixaram
com a culpa de sermos
com a culpa de tê-los
sem mesmo os termos feito.

E nos deixaram sonhando
com os nosso ancestrais.
Mentindo que eram mais
do que nós mesmos.

Quando, em verdade, eram
antigos e banais
ignorantes e ermos
lascivos. E finais
do que somos início.

Desse precipício
chamado começo.
Nada mais do que isso
nada mais desconexo.

JAHU

Ali a fazenda tocou a cidade.
Era tudo Almeida Prado.
Havia também muita árvores
quando eu fui pra aqueles lados.

Ali nasceu Alaide
que era o que chamam de nêgo-aço.
Ela era muito fina e calada
e, de certa forma, aristocrata.

Celso, um gigante alourado,
e Lita, uma frágil cigarra,
nasceram naquelas bandas
de café e crotalária.

Alaide serviu sempre,
Celso escrevia e ensinava.
Lita criava um mundo sonoro
mas, principalmente, amava.

Isto tudo é em memória deles,
dos três, que eram meus amigos,
e que me provam que há Beleza
em certa forma de Injustiça.

Pois se, nas fazendas e cidades
e nas casas cheias de quartos
nasceram aquelas crianças saudáveis
por que não havia Deus de ajudá-las

para que fossem sempre felizes
e conservassem os seus sorrisos
como nós os temos na meninice,
naquele tempo de extrema alegria?

Por que não havia Deus de salvá-las
das dores do corpo e da alma?
Por que não há Deus de ser mão-aberta?

Ah, vamo-nos logo que a tarde desce
sobre Jahu e sua cidade.

Vamo-nos logo que os trens morreram
nesta estação chamada Fumaça
e nem crianças e nem fazendas
nem jabuticabas
consolarão o sobrevivente.

Só a vida, vaga realidade:
ervas daninhas pelos pomares
e às vezes flores,
raras.

RUA BRASIL

A rua ainda está
a árvore permanece.
Pássaros semelhantes
ainda cantam.

Tudo parece igual
mas é mentira.
O tempo passa e o espaço
fica antigo.

Os dias são os dias
e o inverno desponta
com suas flores frágeis
como tontas.

Inútil mudar nomes
há o que sempre havia:
caminho que era barro
e que, igual, conduzia.

Penetro no vazio
do que não há na rua.
O não-ser se apodera
de mim, com sua alma noturna.

Você já não está.
As pessoas, que dão a medida de tudo
ao nosso coração,
já não estão.
Tudo foi tanto
e o Tempo não se importa.

Não faz mal; tem
Maria
a que nasceu
e que, com nova mão, abrirá
nova porta.

O MOINHO DA ESTAÇÃO

De vento. Era de vento.
As pás pintadas.
Trazia água para o poço de água.
Estação sossegada.
Um trem de vez em quando
e a gente que chegava.

A meu ver era só eu que chegava.

Criança, a gente não sabe nada de nada
mas olha, quantidade.

Tenho certeza de que havia um mata-burro,
nem um burro, só a gente que passava.
Também uma porteira de madeira
que dava inicio à aventura do sábado.

Estaria por lá com suas pás no alto,
estaria ainda contra tudo o que já não está
saberia que já não somos necessários
esse moinho ainda é necessário?

O moinho da estação
ainda trabalha?

Eu, dentro desse cromo antiquado,
se pudesse voltar com certeza voltava.

Mas e o moinho da estação que me vigia?

Mata
a sede
a algum burro
dos que não
havia?

JABOTICABEIRA

Meu tronco contra o teu
corpo de árvore
tuas raízes
contra a minha tarde

meus olhos tua água necessária

eu sei que a seca é muita
companheira

conta comigo
eu conto com teu fruto.

Conta-me tudo.

Eu te conto
o meu luto.

HOJE EU VI O TEU CORPO...

Hoje eu vi o teu corpo passando em alma estranha.
Esse teu corpo azul, sólido, estável.
O espaço que ocupava esse corpo – antes vago –
de pronto me assustou: por onde andavas?

Por onde a tua voz, as tuas vagas raivas,
o fervor da paixão, as mãos, as palmas claras?
De que jeito de rir ficou-me o teu cigarro?

Passa o teu corpo em alma estranha.
Viajo.
Suponho que ficou nas quinas dos esteios
o resto da poeira que eram teus cabelos.

Suponho que és presente quando há tanto és
pretexto.

O teu corpo perdido me causa sofrimento
de tal modo me falta
a condução do Tempo.

DAMA DE OUROS

Se a dor é muito grande
qualquer ungüento serve
linimento leniente
falso, porém diverso;

no espelho, quando olhavas,
faltava-te um pedaço:
estima, amor passado,
respeito, confiança.

Noites te esmoreciam
com promessas de paz
voltas sobre um só tema:
o valete
e o az.

Nada valeu; os homens
sabem cobrir seus flancos.
Às mulheres, no entanto,
resta pintar os seus cabelos brancos.

POEMA

Você reaparecendo
volteou outra vez aquela faca.
De novo a pedra e a pele
a crueldade fina de sua fala
as palavras estanques
que não tinham bagaço
e derramavam sangue.

Voltou a terra altiva da montanha
frio que comportava canecas de estanho
as carroças e os burros e o vinho
e o caminho
terminado no nada invisível do campo.

Me vi fitando o seu cabelo
o colchão desmanchado
o vocábulo estranho e o não entendê-lo
igrejas muito velhas
e cordas de instrumentos.

Perdoar, com certeza, é não ter tido tempo.
Eu vicejei naquela dor ardente
tão fria e transparente
como o gelo.

MORRO BRANCO

Porque entre as pedras haveria água
descíamos a encosta algumas vezes
com latas de alumínio e bocas secas.

Na chácara, de pêras enxertadas,
palpitava o adultério entre bambus.
Cavalos e cachorros conviviam.

Não sabíamos nós, meninos novos,
senão que o beija-flor morria fácil
e que a malícia estava nas esteiras

e nos olhos dos outros. Prazerosos
tocávamos o amor com dedos frágeis.
A pele se inflamava de inocência.

Um dia o raio atravessou antenas
e penetrou o coração da mãe:
ninguém pode ser frágil entre rosas.

Também os viajantes que chegaram
numa noite de chuva tinham sexo:
a mulher deu à luz de madrugada

e seu menino se chamou *Viamor*,
que queria dizer *não somos nada*.
Aprendemos então
que a infância

finda
que a paixão surpreende deslumbrante
e que a eternidade
é curta
e linda.

FIDALGO

Fidalgo
espada crua
na ilharga
morto
cavalgando desnudo
pela praia

filho de alguém
a quem
os cidadãos saudavam

cavaleiro fidalgo
de tronco ereto
quem te suspeitara
as pernas quase imóveis
o sexo esmorecido

Fidalgo perdido
loucura de vencer
a quem fendeu-te a vida
a esse deus postiço que
nem é nomeado
ele mesmo castrado

Fidalgo
de amor misterioso
e de ouros infindáveis
dono das frutas do horto
sorriso trespassado
alguém levou-te as mãos, a alegria
para a terra
sangüínea.
Não te salvaram
nem o sol
nem a amiga
que hoje está a teu lado
com toda a sua fibra.

Beleza que te achou e a quem achaste
à porta de uma casa
simplesmente singela
e prendada

de pobreza ancestral
trabalhosa, imigrada,
aquela que não soube sair da festa
tão dolorida havia sido a entrada.

POEMA

Na esteira de um espanto
pensei que você era
a salvação do pranto.

Mas conquanto nascesse a primavera
vi depois que o seu cálido sorriso
era só isso:
a simpatia rouca
de alguém que joga tudo
(o ontem e o agora)
em palavras douradas
boca afora.

VELHICE

Recolhemos vestígios:
o que fomos
o linho dos vestidos
os armários da sala.

A velhice, forçoso é-nos
guardá-la.

ONTEM

Para Ilka B. Laurito

Um mundo só de espaços solitários
ninguém à vista
as ruas silenciosas

os degraus das escadas
e os abraços

olhar estrelas devagar, talvez a chuva

a ladeira da Glória
o eco repercutindo
de um bonde que descia

o Morro do Piolho era vazio
o mundo era vazio
a plenitude estava na neblina.

SONETO DE ONTEM

Ao Domingos Carvalho da Silva

Antes, quando acordei, sob as parreiras
bicavam grãos perdidos os pardais.
Nas varandas havia trepadeiras,
cadeiras, buganvílias e varais.

Antes, quando era ontem, derradeiras,
todas as casas eram coloniais,
todas as noivas eram verdadeiras
e se despetalavam nos quintais.

Ontem, antes de o ser, fomos felizes.
Nas cozinhas, o extenso dos fogões
aquecia no peito os corações.

Das cores, o importante eram matizes.
Nada se tinha dito do futuro
que não havia sido, claro muro.

ESSA CIÊNCIA

Aparece na borda da noite
duramente.

É saber que os dois eram tão felizes
que venciam a tristeza das ruas do comércio
quando as lojas se fecham e os papéis voam ao vento

das ruas onde ninguém mora por escolha
ruas de uma cidade que fecha suas portas
e conta suas moedas
à tardinha, em silêncio.

É saber que os dois eram tão felizes
que nem a escuridão dos escritórios
e nem a solidão dos Bancos venceria
sua doce apetência de prazer.

É saber que se iam sem ter fome nem sede
limpamente sob a chuva, descansados.
Saber que comeriam pão e peixe
que iam depois beijar-se
as bocas entreabertas
os corpos harmoniosos
tão quase jovens que eram
e a vida tão ligeira, a vida sem a morte
a vida sem ciência.

Tudo isso apareceu agora duramente
nesta borda de noite fatigada
noite sem fome e sem desejo
noite
da dor forçosa, crua e enrodilhada.

Olho os amantes que me olham, gratos.
E que depois se vão contentes para sempre.
Gravados no ar gelado.

MUERTA MADRID

Essa dor enterrada
essas praças redondas
        cheias de água
e por dentro da terra
e por dentro do tempo
e por dentro do que era

esses mortos que doem
        que ferem, que ardem
esses corpos que andavam
levando suas almas
que riam e falavam
e choravam e amavam

esses copos de vinho
esse branco da cara
tudo único como deve ser o que vale

essa cidade inteira, velha, remoçada,
essa cidade antiga destroçada
que nunca ousei trocar nem trocaria por nada

e à qual não voltarei
como ela era e eu era

cidade de outra era

com seus mortos e o tempo de seus mortos
e as ruas do passado
e aquelas casas altas.

Cidade dos meus mares interiores.
Cidade com sua dor e meu amor
já enterrados.

AZUL COMO A FUMAÇA...

Azul como a fumaça
quem me diria que você voltava.
Tão distante e encerrada
no entanto ainda usando da palavra.

Bem inutil, a fala.
Cada dia me sinto mais calada.
Foram-se quase todos mais seu tempo
o que me vale é o beijo.

Naquele campo onde encontrei o vento
naquela terra onde tudo lhes falta
achei calor de gentes
valor de inocentes
achei amoras altas e sem preço.

Agora, adeus. E sei que me despeço
para voltar a ti, como quem volta
às velhas dores, tão de estimação
que ajudam a bater o coração...

O QUE?

Que é que move o teu corpo?
Que sopro, que mergulho
que tormentoso orgulho
que inferno de soberba
quem faz de tua coluna
esse mastro invencível de galera?

Quem faz que sempre fosses
o que eras?

A PORÇÃO DE CHUMBO

MULHER LONGEVA

Quando nasceu menina
O avô disse: "que pena".
Cresceu, apesar disso,
Uma criança morena.

Conseguiu completar
O quarto ano do grupo.
Ajudava na casa.
E se acabou o estudo.

Casou jovem e virgem.
Não lhe valeu de nada.
Fez docinhos caseiros.
O marido a espancava.

Também fez seus três filhos.
Para não fazer mais
aceitou coito oral,
aceitou coito anal,
aceitou coito anual.

Hoje, aos setenta anos
faz fila em hospitais,
recebe uma pensão
de cem reais mensais

E está ai, sobrevivente.
Incomodando o Presidente.

CHUPA-CABRA

A senhora sabe? Chupa-cabra não existe.
Pode ser que no alto da Boa Vista tenha onça.
Isso sim, fiz quarenta e quatro anos.

João? A gente se separou.

De vez em quando ele vem e me usa.
Depois vai embora
mas deixa algum dinheiro que é pra casa.

A gente teve cinco filhos
e um neto.

Ele diz que eu engano ele.
Menos verdade.

Amigo dele pode mentir meu?
Pode dizer de coisa que não foi?

Lá no juiz já comecei processo.
Inda ontem João voltou do mesmo jeito.
Estava fazendo frio e até foi bom.
A senhora acha que se eu desistir
juiz não fica brabo?
A senhora acha que se eu aproveitar
Deus desgosta?

TUDO

Ponho as mãos contra o muro
e me disponho a tudo.

Essa dor que corrói o meu peito é uma culpa;
se alguém morreu
minha é a porção de chumbo.

Os suspeitos empreendem suas fugas
nos arroios, nas cores dos esgotos
pela parte inferior escura das paredes
pelo meio dos mortos.

Os muros da avenida estalam de desenhos:
são dejetos de letras
palavras avessas
desejos de falar
nessas casas impressas.

São as pedras fumadas que apagam lembranças.

As crianças de barro estavam mudas
até que alguém que não falava a sua língua
tirou da própria alma a essência do carinho
e se dispôs a dar-lhes voz.
Um dia falarão, se compreenderem
algo mais do que nós.

Os vidros nos semáforos se erguem
e os medos de minha época se servem
de tudo o que restou no nosso coração.
Um pedaço de aço
paralisa o teu ser
que era capaz de alçar-se na paixão.

Tudo foi proibido e os loucos estão soltos;
pior: são inocentes.
Pior: serão punidos.

Os jornais dizem números
é tão seca a estatística.
Por aqui, por ali, há filas de meninos.

Tão magros como uma radiografia
tão iguais e infinitos.

Morto de fome
um cão me olha com imenso desespero;
um cão não sabe nunca o que o espera
(já disse isso, eu creio)
um criança não sabe nunca o que a espera
nesta mesma tapera em que estamos,
nossa África.

E eu sei
do boi e sei também
da farra.

Por amor a Julieta
Romeu compra o veneno;
paga com ouro ao vendedor
e depois compreende
que o ouro é o maior veneno
que se vende.

Comprar pão, engordar,
viver como se pode
entre camas e casas e as ruas circundantes.
Isso desperta a gula
sobrevida.
Querem sobreviver
a despeito
da vida?

Nas casas a traição circunda os dias;
o sangue de família
é sangue derramado.
O laço de família
é laço de enforcado.

Escolhe o teu amor.

Amor é o escolhido.
O ódio apoderou-se de todas as árvores
não há mais indelevel parasita;
abraço o tronco verde e peço aos meus mistérios
ninguém sabe de nada e somos frágeis.
O homem amou por tanto tempo e tão sem prêmios;
beijos, prêmios de amor
é mister merecê-los.

As palavras estão escondidas na terra
os túneis são raízes.

E há os que querem destruir
destruir-nos
todos possuem armas
o chumbo é pesado
matam seres humanos as balas passageiras.

Só as ondas do mar são inocentes.

Tudo faz um ruído
imenso e inútil;
tudo menos o azul
é perdido, é finito;

se eu pudesse falar claramente e durante muito tempo
se acreditasse em mim o bastante, pelo menos
seria então um poeta, enfrentaria o mundo,
convenceria os deuses, os deuses de tudo,
contaria de longe os lugares sagrados
e veria as estrelas em todos os lugares.
Talvez eu perca o medo amanhã, talvez o aeroporto
cure em mim a doença de esperar;
talvez a morte, essa final amiga,
cure em mim a doença de viver.

Galinhas magras no pátio esperam de mim
poderei alimentar a sua humanidade?
Poderei alcançar o que elas têm de pensamento?

Passou tempo, é verdade.
Gritamos com voz pouca.
Vai custar muito defender
o pequeno prazer
e a ausência
de dor.

Vai custar muito
não morrer,
meu amor.

PRIMAVERA

Como um sino soava a mocidade em nosso corpo
enquanto a guerra conquistava espaços.
O mundo estava perto, com perigos expostos,
os reis estavam nus como é devido.

Matava-se, a esse tempo por amor, por ciúme,
poucas vezes os pães de ouro fermentavam.
Sóis e luas, invernos e a chuva fina nos faróis opacos,
capotes embaçados, era a cidade com todas as suas jóias.

Recordo que se ia ao encontro de pedras,
de vitrines e igrejas, os santos em uníssono, nós éramos.
À noite nenhum mendigo, algum mendigo,
mas nas pedras, nem uma criança de pedras;
só poemas e albatrozes e chapéus e cabelos,
sapatos graves, lenços e cavalos no centro
da cidade, que havia sido feita.

Uma cidade alçada por gentes concebidas,
com suas casas postas em relevo,
que eram moradas, demoradamente.

Ali nasciam todas as pessoas.
Algumas vinham nascendo nos navios
depois aqui temiam, construíam,
depois aqui morriam, solenizando a terra.
Nada era feito cru. Nada era feito antes.

Ninguém pensava nos revezes, porém havia um luto
que nenhum deus desrespeitava. Essas mulheres,
perfume das varandas, flor dos fogos,
lavando nas bacias os meninos.
Nem uma igual a todas. Todas poucas.

O café era o dia, e a vida era
tão quente e tão faminta e tão cheia de livros
quando não era dia de ir à escola,
a dor pulsando, a dor mostrando corpo.

Olhos pequenos para todas as neblinas,
essa beleza de crescer distendendo volumes,
peles novas, os músculos inúteis, nossos ossos
o ouvido pouco em atenção do amor.

Na praça éramos vozes
idênticas e sem identidade, éramos lobos, aves
alvos da nossa própria inocência, mensagens
portando mensageiros
paisagem.

O empedrado vivia, as ruas contestavam,
nada era só casas, pessoas de visita e as janelas,
mesmo escadas e eu nunca fechei as portas, podia ser.

Meus cães, ternuras combinadas, sua lã no meu pescoço,
as pedras secas daquele salto por onde as águas um dia
vieram
      amigos, sobrado de minha tia, o bairro sem saída.
Pelo mato da várzea subiam música, ruídos, sapos da umidade
no lugar onde depois houve fábricas e edifícios
e hoje não sei mais.

A tua casa de ovelhas velhas e grama rebelde,
a tua casa de um regato transparente
onde no entanto existe uma corrente que contorna
será por fim a terra?

Isso de ir-se
enfim
será
mesmo a verdade
com que nos mentem as gentes de todas as idades?

Onde estaremos
quando formos chegando aos limites de ontem
a isso que nos legaram e que nós não sabemos
e que nunca soubemos
e que não saberemos,

dar-nos-ão um café
nos darão

algum beijo?

Nisso de morte
há um pai
para sempre?

DOMÉSTICA

Serviu
a vida inteira.

Conheci pouca gente
tão livre.

CANSADO DE MENTIR

Cansado de mentir
o homem entrou em casa
bebeu água, escovou os dentes
urinou

depois foi para a cama
onde chorou por dez minutos inteiros

ao fim dos quais
dormiu sozinho

ou, como se diz,
dormiu com Deus
mais a sua verdade.

INVERNO

Parece de metal a noite destas ruas.
Os homens estão quietos nos portais.
A luz corta. A esperança não desperta.
Esqueceram acesa a lâmpada da porta.

Donos cobrem de lanças os espaços,
de espadas os desvãos e de lama
os jornais.
      Amanhã com certeza os bancos se abrirão.
Por que não? Será um dia como os outros
cheio de transversais e comerciais.

Apagou-se a fogueira dos choferes.
A madrugada roxa parte o coração
dos pombos
         dos meninos
               das mulheres.

Onde é que toda essa gente se banha?
Que será deles todos?
         Para qual
deles alguma vida se fará?
Para quem se abrirá alguma fresta?
Folhas de vidro as árvores.
         E eu

estou voltando de uma grande festa.
Merda! Só isso.
Estou voltando
de uma grande festa.

A UM HOMOSSEXUAL ASSASSINADO

Adestravas cachorros.
Provavelmente nunca te morderam.
Hoje estás para sempre debaixo da terra
morto por homens
que adestram
demonios.

JORNAL

Nós jantávamos pato
os taxis corriam
havia o aeroporto
os jogos, cocaina

noticias de cinema
sobremesas geladas
compras, investimentos,
nós sentiamos frio

e naquele boteco
ela matou o amante.

Tão simples.
              Só
                    um tiro.

A filha tem dez anos.

ALGO

Mora dentro de mim
É a parte mais escura do meu sangue
Costela flutuante

É um pouco da medula que me dói
Esse ar que me falta
Nas horas de insônia
Tosse de madrugada
Sobressalto

E não se vai
Eu já lhe disse adeus e não se vai

Gosta de mim
Mas não me amou jamais.

NADA A LAMENTAR

Folhas secas
aos dois lados do rio.

A ponte envelhecia.

Caminhamos curvados contra o frio.

O outono, às vezes,
já não sabe o verão
que foi
em nossa vida.

ESTUPRO

À MANEIRA DE CARLOS DRUMMOND

O primeiro
Foi seu pai
O segundo
Seu irmão

O terceiro
Foi aquele
Que Teresa
Matou com três golpes de faca,
Fugindo depois pra
São João do Meriti.
Onde hoje exerce a profissão de
Caminhoneira.

SOBRE O CAMPO MINADO

Identifica os pontos
Onde as minas estejam
Marca-as muito bem
(as minas não esquecem)

depois de demarcado
o campo, vai, como quem mira,
procurando o ponto
da primeira mina.

A primeira mina
É a última, se fores
a vítima.

NA GLÓRIA

NA GLÓRIA

O samba era esse mesmo
o ano sabe-se lá.
Estava quente
na Glória.

As pedras tinham musgo e eram úmidas
tudo era encantador naquele Rio.

Marulhavam
destinos.

Ninguém pode saber o que pensa um cachorro.
Ninguém pode saber o que faz
uma febre.

Que longe está o gáudio
o chão molhado e com serragem da taberna
a Glória.

Hoje, no samba, a nota aguda parece um punhal.
E é.

SEXO/AMOR

Na tua mão direita
a possibilidade do prazer

não carícias
nem o roçar dos dedos na carne mais íntima

na tua mão direita
a possibilidade das palavras
de uma carta.

AS MENINAS DA RUA 17

Chegavam silenciosas, noite alta,
comboiando o estrangeiro
faminto de alma.
Depois, no quarto ao lado,
com homens variados,
faziam explodir os seus gemidos
que ouvíamos sorrindo, sussurrando belezas.
Era a sua verdade?
Era tanto o prazer?
Gemiam por gemer
Ou por delicadeza?

De manhã tomavam banho,
um pão com leite e mais nada.
O piso úmido ficava
com vestígios
e pegadas.

Nunca lhes vi bem a cara.
Mas que importância tem isso?

Só tinham a ver comigo
na medida em que era tanto
seu ser simplesmente humano.

E que eu tinha um par de tênis.
E que elas tinham
vinte anos.

FALAR CONTIGO

Falo contigo
e é como se falasse
com essa qualidade
de luz das árvores.

É perfurar o verde
e emergir do outro lado
(o úmido porvir
dos vegetais).

Falo contigo
e compreendo o estado
dos sons que surgem
à noite, noite-em-claro.

Falo contigo
e entendo
o que não tem sentido.

Amor é assim, palavra:
lume comovido.

POEMA

Toda a carne
eu te dedico.

A do corpo
a que como.

Todas dedico
meu amor
à tua fome.

VIAGEM

Faço uma viagem
quase sem sentido.
Preparo a bagagem
Mas por que motivo?

Nada me motiva
salvo um emotivo
grave coração
que me olha nos olhos
e diz: tens razão.

Vai e sem motivo.
Antes *sim* que *não*.

SUOR

Só sei que agora é noite
há um calor de ervas murchas nas paredes
e as árvores vencidas, pensativas
ensombram os buracos que tragaram alegria

a cidade há de estar às escuras, pesada,
o rosto das mansões mostrará sua idade
alguém há de passar cantando a nova trova
alguém ainda canta e faz com sua fome
música a penetrar as pedras úmidas

Só sei que à beira-mar o próprio mar se estira
e ao lado, na avenida,
há dois moços beijando-se no asfalto.
O calor brota deles como um halo
hálito adocicado e só, bocas mescladas.

Só sei que estás distante
só sei que nem te sei, mas te recordo,
naquelas noites nossas
de palmeiras e gatos e promessas.
Só sei que o amor é longe
e a vida
não é minha.

Se estiveres por aí, pensando em tudo
guarda um pouco do suor
que em tua nuca
se aninha.

ATIRA PARA O MAR

Atira para o mar as tuas coisas
abandona os teus pais
muda de nome

esquece a pátria
parte sem bagagem
fica mudo e ensurdece
abre os teus olhos.

Se o teu amor não vale tudo isso
então fica onde estás
gelado e quieto.

O amor só sabe ir de mãos vazias
e só vale se for
o único projeto.

NO CANTO MAIS DESERTO DE VARADERO

Digo: te dar o mar
o vôo sobre os campos
as estátuas mais cegas
o amor de Sancho Pança.

Vamos por os sapatos,
e a capa de pastores.
Meu burro e o teu cavalo
na colina
que cores!

ESTAR

Sei que o estares em mim
conforme o tempo passa
é uma forma de estar em ti
o tempo.

TENTATIVA

Tentas
e com certeza.
Mas tua voz
não chega.

Tua voz, alimento.
Tua voz, minha rede.

Quem te detêm, se tentas
e com que direito?

Via da minha vida
vale
do vento fresco.

ESTENDE SOBRE MIM...

Estende sobre mim uma peça de seda.
Estou suja de sombras.
Ensina-me a subir até o cimo das árvores
a viver sem ter fome

a partilhar a cor que há nas asas dos pombos.

Ensina-me por fim a prescindir.
A estar porque existo
a resistir a qualquer grande frio
e a dormir.
A dormir porque as noites estão aí
para isso.

MEU ANJO

Ele chega amplamente de manhã.
Vem falando, e ao chegar boceja e diz verdades
acerca de Pedrão, do céu e da ambrosia
de que não gosta: prefere pão de queijo.
Vai comigo ao trabalho mas não entra na Escola
prefere ficar voando sobre a raia
porque diz que esses jovens estão sempre em perigo.
Quando voltamos ele vem flutuando
ou se agarra no teto do carro, de carona,
e chega com as penas despenteadas.

Come junto comigo e o meu amor é o seu.
Diz que ama São Paulo a despeito de tudo
cuida de mim e (ele também) lê Fernando Pessoa.

Não sei o que faria sem meu Anjo.
Às vezes eu o empresto (com seu consentimento)
às pessoas que amo. Mas ele sempre volta.

Antes eu o supunha uma criança
porém muito mais sábia. Depois vi que ele pensa
e acho que até sofre.
Mal comparando, ele parece uma coisa muito fiel,
assim, um cão divino
só que muito melhor.

NAVIOS

Há qualquer coisa à noite, nos navios
que esperam delineados junto ao porto.
Qualquer coisa de súbito e de forte,
quando o mar é invisível, mas se ouve
e o seu perfume ocupa toda a noite.

Navios são o mar, madeira e terra
e a sensação de terra que sempre o mar promete
quando visto do escuro ou do alto do espaço.
Mesmo quando se voa o importante são os barcos
e o mar, todo bordado e em relevo alto.

Há qualquer coisa nas luzes de cima dos navios
quando, depois de guerras, se vai voltando à casa:
a perspectiva simples da terra junto ao mar
dá a impressão parecida com todas as certezas
de alguém que volta a se sentar à mesa.

A casa fica perto, a vida fica perto
e aquele amor perdido
pousou ali, nas docas e nos trilhos...

Navios, que não sabem sequer dos seus destinos
mas que, subitamente, se iluminam...

... e são escassos,
gigantes compassivos ancorados,
largos peixes escuros, prisioneiros
imóveis a esperar que a noite passe.

Voamos baixo e cada vez mais baixo.
Preso ao céu da janela o voador é um náufrago
demente bêbado entre o espanto e a graça.
O que há de vir em terra é outra madrugada.
Ele olha e cobiça, tresnoitado
navios: essas jóias coroadas.

MARINHEIRO

É tarde para o uivo dos navios.
O vento, quando passa entre as montanhas
para chegar ao mar
já chega frio.

É tarde para estar nesta amurada.
Era a vida que estava naufragando
quando a salvei. Cantava.

É tarde pra ter sido marinheiro.
Falei das coisas que traziam luz
alumiei alguns esconderijos,
saí.
          Quem quis, me viu. Aos outros
surpreendi.

É tarde. Vem dormir,
meu bem-te-vi.

PENSA-ME...

Pensa-me como eu te pensei
penhor da minha fé
folha resplandescente
estrela, flama,
tocaremos as margens
cruzaremos as fontes
ninguém há de saber que nós partimos

não deixes que a tua vida nos separe
os pecados são só legendas cruas
os momentos
são ventos malsãos
ah, não me deixes

caminha essa montanha
que te espreita
colhe as ramas, não há doenças incuráveis
senão na carne e
na árvore de símbolos
as árvores e o deus não têm pecado

sobe essa escada até onde puderes
ali encontrarás, num espelho, o reflexo
do que eu sou
tal como me pensei, imagem, prata
como quisera ser
aos teus olhos
eternos

NINGUÉM SABE

Ninguém sabe
mas você foi o escolhido.

O seu amor é único,
o seu amor é um homem sentado
pensando em seu cachorro
morto.

O seu amor é a última
orquídea do inverno
é pássaro pedindo água
pupila adormecida.

E você nem se importa
pelo fato de ser melhor
o seu nariz é grego
você é tão bonito
e nem liga.

É verdade que você tem sofrido muito
mas isso faz parte.
Quando você anda na rua as árvores florescem.
Você é meu amigo.
Você é
Eu.

HISTÓRIA MAL CONTADA NA INFÂNCIA

E aí alguma coisa surgia
pela frente
algum mar, alguma estrela
pela frente
isto não era como um naufrágio
uma guerra
todos os peixes
não estavam mortos
de qualquer modo ainda existiam hipocampos
e medusas e corais. Aí surgia alguma coisa

plantei pinheiros
estou segura de ter plantado pinheiros
sem contar as flores e algum arbusto pequeno
e como é   e não há um anjo que venha e diga
chega   já é demais   você está cansada
chega   agora basta   vamos dar um alivio

vamos pôr um ungüento   qualquer coisa
que tire a dor   que tire o escuro   que tire o medo

não é possível
não foi assim que me contaram a história

tenho certeza
agora chegava Deus

ESPELHOS

Esta noite morreu um cavalo no lago.
Chamava-se
Narciso.

QUANDO PENSO EM MORRER

Quando penso em morrer
teu vulto surge de algum lugar marítimo

vens   portadora de conchas e do canto dos pássaros
vens branca e mesmo assim muito valente
e me salvas dos medos

quando te fores
e não puderes me levar contigo
pede que eu não me esqueça de cuidar-me
que não me esqueça dos colares e dos deuses
recomenda-me ao pai

dá-me essa mocidade que tiveste
e que está sempre em ti
tão definida

dá-me essa força de querer
mesmo o que foi perdido.
De inventar o que não há
pessoas e meninos
dá-me esse gato que fizeste
de fios de linha...
E essa menina que morre de fome
nas ruas da nossa vida
e a quem alimentamos
de pão, de carinho,

e que somos nós mesmas
que outros chamam loucura e nós chamamos
Mími...

TÃO TRISTE COMO UM TERNO AZUL-MARINHO...

Tão triste como um terno azul-marinho
como coçar as costas numa árvore
razante de urubu
cio dos gatos
besouro virado de costas

planta que não pegou
piruá
rompimento

aquela tristeza de namoro na Internet
ir ao aeroporto
e não partir

triste como uma tarde de domingo
depois do jogo
ressaca de vinho-do-porto
porto

tão triste como ter amado
e agora perceber
que não era preciso
que foi inoportuno
que ninguém se importou

tão triste como um touro
na arena
lembrando o pasto
uma galinha humilde coberta pelo galo

triste como gaiola
triste como ser tolo

DIANTE DO LAGO SEM NOME...

Como sempre, diante do lago sem nome,
tenho temor à morte, peço contas à vida,
estremeço sem causa enquanto as meninas brincam
lembro o meu ser menina, é fácil a memória
a saudade é tão simples
os manacás do tempo, esse perfume.

Vejo os montes de terra acumulados
e o ônibus que passa me remete a outras terras
onde fazia calor e era noite e eu amava
num espaço estrelado e vegetal.

Hoje, à beira do século ou no final do século
hoje, enquanto a chuva cai e os mosquitos cantam
hoje, o calor contando casos, diante do lago sem nome
digo teu nome

e penso sem mais travas nesta noite
beber meu vinho à proteção dos deuses
fazer caminho
enquanto a chuva desce
vencer a lama do ano velho

à sombra do teu nome.

QUERIDO

O meu amor era alto
e tinha uns olhos rasgados
e tinha as mãos alongadas
mas me parecia triste.

Foi quando deixei de amá-lo
que ví que tudo que existe
é só o que a gente quer
que exista.

IMÓVEL, NO NEGROR DA NOITE...

Imóvel no negror da noite
protegida
pela clara inconsciência
do amor pretendido.

Amor: essa palavra
que todos dizem.

DEVOÇÃO

Não quero falar de você
da sua barba espessa
da sua devoção

você amou demais da conta
e isso é sempre impetuoso
faz mal para esses teus olhos escuros

você amou uma mulher
tão ternamente que os teus olhos negros
se enchiam de lágrimas de medo

você amou uma mulher pública
quer dizer, não uma puta,
só uma atriz

o mau é que você
também era mulher
mas eu não quero falar de você
da sua devoção
da sua dor
espessa

eu só quero fazer um poema que diga uma coisa inesperada.
por exemplo: o teu amor
que era um beija-flor beijando um beijo...

AMANTES EXEMPLARES

Enfrentaram unidos as gretas dos muros
beberam chafarizes
de passado
eram talmente amantes
que ninguém
podia imaginá-los
separados

mas tinham medo à fome e ao desespero
sabiam, que a velhice
cresce em vasos
temiam samambaias
e às avencas
arrancavam ramagens, por acaso

seu amor viveu pouco e descuidado
porque a vida se poupa
quando vale

beberam vinho
sem pensar no Antes
e foram-se e ficaram.

Como ficam
amantes exemplares:

mirando-se, de longe, na memória
dos astros.

ARTE POÉTICA

O TEMPO DO SILÊNCIO

O tempo do silêncio, o vácuo
almiscar
ser das horas
oração
açúcar

perfume das palavras refreadas
odor a nada

dor vencida do ruído repetido
brecha contínua no já dito

alcaçuz
infinito

anis
seda
sumiço...

LUA

Eu digo *lua*
como quem
não diz nada

como quem   subitamente
disco de prata
se iluminasse.

NOITE

Voltar pra casa
a noite ganha o jogo

os cães se lambem
só não sei falar

aceito a noite
clara de novembro

há alguma coisa
de que não me lembro

LAVAR

Lavar copos e xícaras
o meu
sem propriedade.

Com um domínio do corpo e do objeto
que só te dá
a maturidade.

VIDA

Bem por debaixo
das rosas
um carreiro
de saúvas.

LONGE

Estão passando caminhões na estrada
me pergunto, pra onde estarão indo?
Para que morte,
para que destino?

Que amores levarão na sua cabine
que amores levarão
no coração?

Passam os caminhões e às vezes buzinam.
Para onde vão?

QUANTO

Quando se olha a folha
tanto de sua íntegra textura
invade a alma esfiapada

que os olhos se comportam como fontes
invejosos do ser
humilde
do gramado.

CONTA-GOTAS

Para o Y. Fujyama

Viver deveras:
um calafrio diário
pelo menos.

★★★

Ver o que há
cada vez mais.
Cada vez mais há o que ver.

★★★

Quando matar saudade
é um verde e frio
amanhecer.

★★★

Morrer a morte
como ela deve ser morrida:
viva.

★★★

Era.
Um olhar sobre o que foi
e perdi
e não quisera ter perdido
(nem ter tido).

★★★

O espaço entre as barras:
para o preso
liberdade:
para o aço
defeito
chamado
espaço.

★★★

As roseiras da tua casa
deram flor.
De onde está você vê?
E
apenas prá saber
onde é que está
você?

★★★

Quando te falei
eu não esperava;
ou, se esperava
não o confessei.

Depois, sim,
esperei.

PENA (POÉTICA)

1.

Carregar esta pena como um instrumento
carregar este instrumento como um castigo
carregar este castigo como uma pluma

2.

Fazer como se já estivesse feito.
Como se fosse Deus o inventor.
Verdade e erro numa mesma sorte.
Vida como se não houvesse Morte.
Amor
como se só existisse
o Amor.

3.

Se o Poeta buscasse
não encontraria.
O que o Poeta busca
vem por sua via.

POETA QUE LEMBRA

Não sei o quanto fiz
talvez fizesse hoje d'outra arte
caminho que andei
não andei, me levaram

era verde e aceitava.
Foi o bom, foi o mau.
Quando doeu, doeu.
Miau.

Hoje se limpa o estrume
se contempla o velame
se reaviva o lume
lembra-se o que se amou
e que talvez ainda se ame

e se espera o restante.
Mais falta que sobeja.

Assim seja.

POEMAS NÃO SÃO PARA SEREM PUBLICADOS

Poemas não são para serem publicados
poemas são drag queens rolando piteiras em puteiros
ou somos nós, poetas velhos de caras borradas
poetas de cinco centavos

poemas não são para serem publicados

poemas são para serem escritos
às vezes rasgados
às vezes guardados
podem ser confessionais, imorais
de vanguarda
podem ser apenas a voz humílima do guarda
podem ser uma criança

mas em geral
são sem esperança
de serem publicados

poemas custam caro
e não fazem o mesmo efeito de um chope
não fazem o efeito de um baseado
poemas não servem pra trepar nem nada

nem sequer tente publicar seus poemas
faça-os voltar calados às gavetas
com eles ninguém se meta

dormirão como dormem os drogados:
tristes, gelados, pesados
mas serão sempre únicos
sempre ineditamente
mediúnicos

sempre salvos das graças das prebendas
sempre coisas pudendas (ainda que sujos)

poemas, sempre úmidos
nocivos, fim de feira
maus de venda e de vida.

Não são nem mesmo um incentivo
à leitura, pois quem vai ler linhas quebradas
oriundas de almas idem?

DOR MORTA

Nada.
Cicatriz
cauteriz
ada.

ESCARAS

Para a Lucia Cristina

Não começar com *não*.
Haver-se com a pele
das coisas
tal e como as coisas são.

E se a pele ferida
descobre a carne em sangue
sin
tonizar
e sim
patizar
e sim
aceitar
o ferimento
do jeito lento
como as chagas são.

Sim
começar com *não*
se isso descansa os ossos
na tábua exposta de madeira crua.

E *não* pensar nos hojes e nos ontens
e não pensar no que há
no íntimo da chaga

(expor a chaga é se arriscar à caça).

Tu dizes: esperar que a carne cresça?
Que venha nova e fina ou venha espessa?
Tu dizes que dançamos
a doença?
Que dançamos, sem dúvida, parece.
Te alcanço nos limites de uma prece
e te ajoelho e te ponho na igreja

para que Deus te veja.

Mas só estamos nós, ao pé
de André
e rimo-nos
das coisas raras
que acontecem.

Que cara é essa
ex-cara?
cara, que escara
é essa?

CANÇÃO DO ASILO

TÃO PRECIOSA A FÍMBRIA

Tão preciosa a fímbria
da vida que te é dada
que te agarras
              às felpas
às farpas, às fraldas

e choras como a cria
de um animal de rabo.

FERIDA

Ferida de arma desconhecida
perita, fina,
vem sem erro essa lâmina
mas vem sem motivo

ou então o motivo é exata
mente o não-motivo
e aí está a graça do tempo da ferida
assim é que ela é mais divertida

se é que pode ser assim uma ferida

os meus pais não se separaram, ou antes,
foi a morte
eu nunca tive religião, ou melhor, tive todas
hoje tenho uma mescla feita de medo
e mácula
uma mescla inferior
feita de morte

e vou andando atrás de outras feridas
a dos homens e também a dos cães,
sempre vivas
merda é que não consegui me esconder das
rimas
mesmo quando apenas soantes as putas se
empilham

e tapam a fenda
pois é sabido que elas têm que respirar
as feridas
é sabido que desde a primeira (essa do sexo)
elas precisam de ar para manter-se vivas
e ferinas.
E acabadas.

Há feridas porém que nasceram fechadas.

OS LOUCOS DE ANTES

Reler seus versos é cortar farrapos
é repetir as pedras, ver os muros
é ser cinzento e cruel mordendo os punhos.

As palavras soaram sempre inúteis
para esses loucos de antes. Murmuravam
montanhas e neblinas, tudo o mesmo.

Talvez algum momento fosse suave
algum ponto do corpo não doesse,
algum dia deixasse uma saudade.

Mas defender o filho era impossível.
Andar, talvez, até romper-se o nervo
até que a pele se fizesse nuvem.

Navegaram perdidos pela areia
desde a cilada a que chamaram vida.
Infantes, enganados à partida.

Capazes de um amor? O solitário,
tão vazia no crânio essa desgraça:
a camisa de força, feita em África.

OS LOUCOS DE ANTES II

Desdenhavam do amor
faziam ninhos de serpentes no quintal
discutiam filósofos marxistas
brincavam com as sombras dos coelhos.

Eram belos e límpidos
e cortavam com faca.

Ai de quem os quisesse
porque às vezes mordiam na garganta

sofri muito.
O beijo do lunático é terrível
e eles beijam até ficar famintos
e dão amor para fazer ciúme.

Eles também sofriam.
Um se enforcou na árvore da praça.
Mas o outro vive ainda
computando formigas
e enterrando suas vítimas.

CANÇÃO DO ASILO

> Não permita Deus que eu morra
> sem que volte para lá...
>
> Gonçalves Dias, *Canção do Exílio* .

I

A velha acaricia os cantos, colhe as teias
enquanto a calha leva a água da chuva.
Tanto rumor perturba a velha em sua carícia
cega e a faz levantar os olhos azulados.

A velha desconhece a mão do mundo:
o açúcar não será veneno? As lagartixas
serão talvez diabos? A velha engole frutas
avidamente, como engole a vida.

Os outros olham sua cara desfolhada
e pensam morte ao desejar idilios.
Ela sorrí e vai à mesa posta:
a vida, a fome é sua, por poderes da culpa.
Ela não tem escrúpulos. A chave é o Passado.

A velha sabe
que viver
é sua faca.

II

"Foi-me ordenado que ficasse quieta.
Chamam Lar a este asilo onde estou isolada.
Eu chamaria Ilha a este olho perpétuo.
Faz frio à noite na vida, na velhice,
isto é como não ter havido chocolate nunca.

Todos têm uma pena, que bom, como os pássaros.
Meu canário eriçava as penas no aconchego.
Quando eu tinha uma casa, que bom, isso era
quando eu era pessoa e eriçava as defesas.
Isso era quando eu era.

Agora chegou a hora e ainda não chegou a hora.
Dão-me cenouras e desculpas cozinhadas,
ninguém pergunta pelos meus apetites,
posso até me sujar, ninguém pergunta;
quando eu era pessoa
eriçava os meus pássaros.

O passado.
Mergulhar nesse poço encharcado de lodo.
Espremer esse pano molhado de fábulas,
esticar essa blusa, esticar essa raiva.
Que não me venham ver, que não me falem.
Que não me paguem com moeda falsa.

III

Afastem dos meus olhos essa teia.
Já não quero ferrugem que não seja na alma.
É alma isso que vem nas visitas dos filhos?
É alma essa sujeira nos tenis dos meninos?
Talvez a alma esteja na terra das tumbas,
nessas que engolem, mansas, os defuntos.

IV

Desejar minha morte é o esporte dos netos,
com suas pernas lisas e meias verdades,
olhos vivos e frágeis e vulvas atléticas
esses, que foram fetos...

O murcho vulto meu persiste, um urso.
E todos, mal sentados, apertam os pulsos.

Mas eu estou aqui, quase rígida e álgida,
odiando com fé tranqüila e permanente,
insistindo na sala de pintura gasta,
cheia de bafos, cheiros de torradas,
quenturas de feijões rememorados,
demoradas maçãs e pães velhos de lata ...

V

Aqui, sentada ao sol,
solitária (e não triste)
só um corpo encostado
em cadeira
(cativa)

capturo o meu raio de sol
dentre os que existem
como meu pão molhado
bom pra psitacídeos
e, pássaro cadente
e sem dente, assobio
meu lucífero amor
pelo homicídio.

VI

Falam. Ouço palavras. O meu ouvido sabe.
Estou num campo em que transborda a lava.
Eu não devia estar aqui. *Aqui* é só uma palavra
que a cada dia é menos minha. E esta sala
a cada dia é menos. Estes quadros
delimitando a tarde afetam o espaço.

Levanto-me tremendo
                 mas já não vou.
                                 É tarde.
As frutas estão verdes, estão secas
e nada e nem as frutas me pertencem.
Comi bananas e sofri revezes,
o sorriso maldoso, tudo é tão simplesmente.

Querem fixar-me aqui, depois partir.
Claro que podem ir. Tudo se pode ir.
Eu exercito o não-poder e fico aqui,
aqui
      é uma condenação sutil.

Este é o lugar onde me podem por
dizem que com bondade e um extremo conforto.
De fato, movo o corpo e sinto o corpo
mas não sinto os contornos de um amor.

A minha verdadeira existência, onde a pus?
A saudade, quem tem?
De quem
morrí?

Aqui não é. A montanha
onde está
de onde eu sei
que vim?

Onde estou eu, a senhora
de mim?

VII (Andar de velho)

Mas vamos
e venhamos
e vamos
e venhamos
e vamos
e venhamos
e vamos
e venhamos...

VIII

Velho é o sólido e seco e ásperas tabuas,
velho é feltro roído e travesseiros magros.
Velho, não pensem! Ouve mas não ouve
e de repente, vê ! Estando ausente.

Velho raspa, colheres no alumínio,
canecas de café, folhas infusas,
velho é o sal na língua, os dedos tortos,
lixas na pele roxa
rachaduras
na boca.

Mas velho é estalido não calado,
voraz até a morte, arrogante mendigo
magicamente vivo, pontuando com seu gesto
toda a realidade e mais o resto.
Velho é traste, derrota,
haste de rosa rota
velho é frasco vazio de remédio,
boneca vã, vento de dentro
prazo retardado
velho é o fim
o diabo !

IX

Mas tem um céu depois de tudo
com mais estrelas, mais estrelas.
Ah, permita Deus que eu morra
para vê-las.

Leve-me Deus pela mão
entre as primeiras palmeiras
(não essas do átrio do asilo,
palmeiras de-a-meia),
mas aquelas que ainda existem
alí ao lado do mar.
Alí onde o Poeta jaz.

Leve-me Deus a essa paz.

Leve-me Deus a esse canto
onde cantam
sabiás.

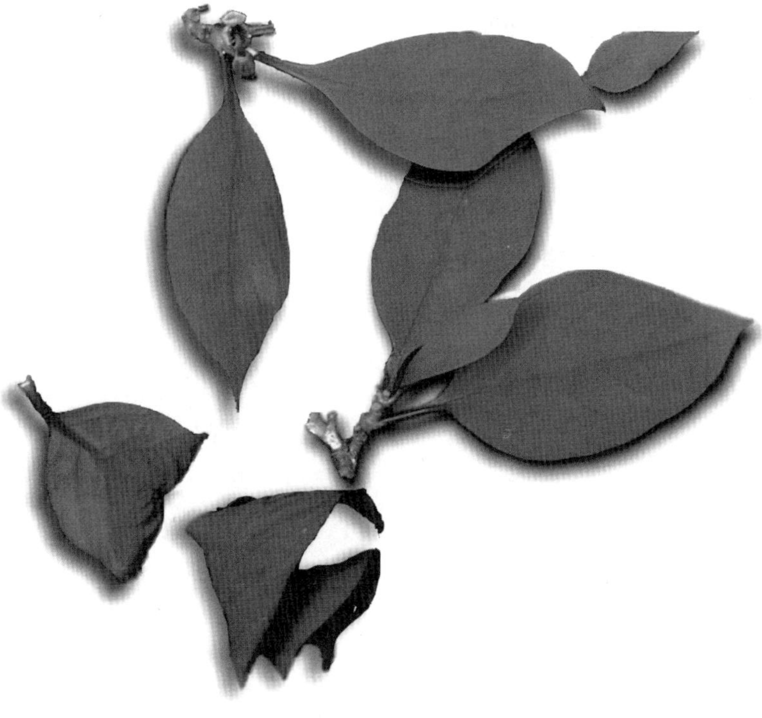

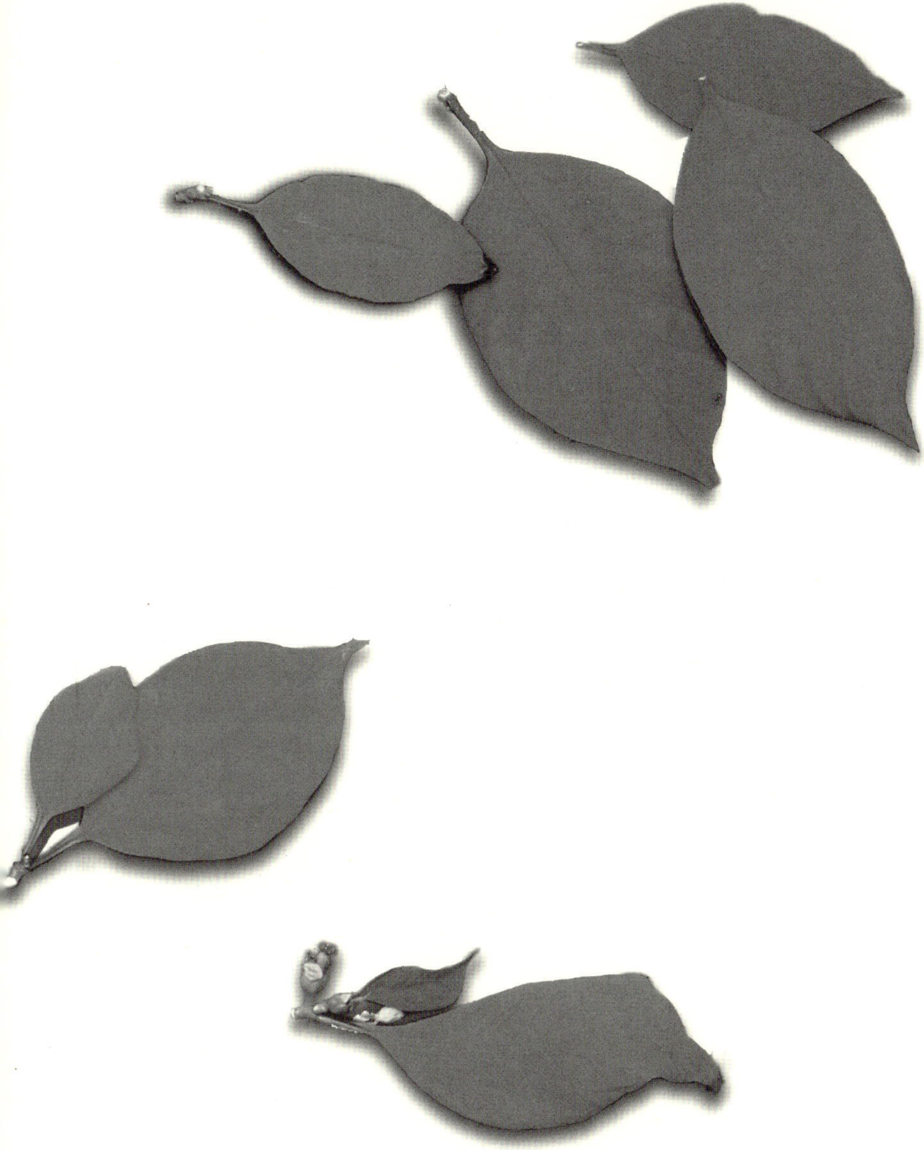

CARTAS DE DRUMMOND

Rio, 8 maio 1956.

Renata Pallotini:

Eu estava arrematando uma croniquinha quando o carteiro me trouxe o seu livro. Abri-o ao acaso e encontrei aquêle belíssimo "A caminho de casa", com alguns versos definitivos, que a gente não esquece mais. Então aproveitei-os imediatamente para fecho da crônica. E aqui estou para lhe agradecer tudo isso, amiga Renata: a dedicatória maravilhosa e imerecida, o achado humano do endereço, o "Monólogo Vivo" inteiro, cheio de poesia reveladora das coisas.

O abraço eu de

Carlos Drummond de Andrade

Rua Joaquim Nabuco, 81

Rio, 30 novembro 1958

Prezada Renata Pallottini:

Estou recebendo agora a sua "entrega rápida". O aproveitamento do "Caso do Vestido" por um grupo de teatro amador, de que V. faz parte, só pode dar alegria a êste velho fazedor de versos, e ainda mais se a adaptação é sua. Nada tenho, pois a objetar, tenho sim que agradecer-lhe a lembrança gentil. Aqui no Rio a Tônia Carreiro já apresentou o poema, dramatizado, numa T.V.

Como sou filiado à SBAT, será talvez conveniente que a estação se entenda com a agência local dessa sociedade, no tocante a direito autoral.

Boa sorte para o grupo, amiga Renata, e o melhor abraço do

Carlos Drummond

Rio, 19 abril 1962.

Renata Pallottini:

Que dizer do seu "Livro de Sonetos", senão que êle é uma pura obra de arte, fruto de um grande pensamento amadurecido em poesia? Leio e releio cada peça, e o conjunto não se fragmenta em realizações mais ou menos felizes. É poesia completa em si, redonda, integral. Fico-lhe comovidamente grato por se haver lembrado de oferecer um exemplar a êste seu amigo distante mas fiel.

Com a admiração, o abraço melhor do

Carlos Drummond

Rio de Janeiro, 22 junho 1966.

    Obrigado, Renata Pallottini, por tôda a poesia concentrada "no engaste da pedra amara". Que expressão cortante, que intensidade na palavra sàbiamente amadurecida ! Os versos são necessários insubstituíveis, de uma gravidade definitiva. Você diz o que é verdade profunda "na carne da carne", o essencial que transita entre a vida e a morte. Fiquei apaixonado por "A Faca e a Pedra".
    A admiração agradecida, num abraço afetuoso, de

Carlos Drummond de Andrade

• nascer
outra & outra vez
indefinidamente
como a planta sempre nascendo
da primeira semente;
pensar o dia bom
até criar a claridade
& nela descobrir
a primeira sílaba
da primeira canção •

A Renata Pallottini,
 grato aos seus votos e
à funda, essencial poesia
de "Forma Quase Uma fune"
(que tanto gostaria de ver
publicada em livro),
também os melhores
desejos de seu amigo
              Carlos Drummond
Rio, Natal, 1967

Poesia de Renata:
sob a música exata
há um tremor humano.

O verbo conta mais
do que os jogos verbais:
o mundo refletido.

O tempo, o ser, a morte,
o invisível suporte
do amor, por sôbre o caos.

Poesia de Renata
um reflexo de prata
no deserto noturno.

Com um abraço do
Carlos Drummond

Rio, 24.XI.1969

Obrigado, Renata, pelos recortes dos quadrinhos. A pedra no caminho, que já me deu tantas chateações, agora me dá essa alegria: umas linhas de você. Que bom!
Abraços
                    Carlos.
Rio, 18.V.1970

RUA CONSELHEIRO LAFAYETTE, 60-APT. 701
RIO DE JANEIRO, 30.8.71

Querida Renata:

"Sinal de Trânsito": apenas quatro versos — e dizem tanto!

Obrigado pela boa palavra.
O carinho do

Carlos

NA VOLTA DA ESPERANÇA,
UM PRINCÍPIO DE VIDA:
SER OUTRA VEZ CRIANÇA
POR TÔDA, TÔDA A VIDA.

Renata amiga:

merci pela beleza severa de Os Arcos d. Memória, poesia da melhor nesta dezembro de tão falsas poesias. Desculpas por divulgar os meus versinhos sem pedir licença? Ora, Renata, "você não precisa pedir licença"! E o que eu escrevi então, assino e confirmo em cartório ou fora dêle. Abraço e boa volta do seu amigo

Drummond

Rio, dezembro 1971

CARLOS DRUMMOND DE ANDRADE

Rio, 24 de junho de 1973.

Querida Renata:

Foi uma alegria receber o poema de Casimiro de Brito copiado por você em papel florido e com o carinho de sua palavra amiga. Obrigado, um beijo e o pensamento afetuoso do

Carlos

Uma vez mais se constrói
a aérea casa da esperança.
Nela rebrilham alfaias
de sonho e de amor: aliança.

•

A' querida Renata,

Grato à sua impregnante poesia, também os melhores votos do

Carlos

Rio, XII, 1973

CARLOS DRUMMOND DE ANDRADE Rio, 30 julho 1975.

Renata, amiga querida:

Ter notícias de você em forma de livro novo foi uma alegria para mim. Leio e reencontro você em talento e sensibilidade, na bela prosa de <u>Mate é a</u> <u>cor da viuvez</u>. Obrigado, amiga! O melhor abraço do seu

Carlos

CARLOS DRUMMOND DE ANDRADE

RAMO DE LUCIDEZ
E RAMO DE CARINHO,
COM ESSES DOIS VERDORES,
ORNAMENTAR O NINHO
ONDE A FORMA NASCENTE
VAI TORNAR-SE DESTINO •

Querida Renata, quanta poesia você me deu como presente de fim-de-ano! Senti seu coração pulsar nos versos ardentes e fraternos de "Coração Americano". E em "Chão de Palavras", a vasta e bela paisagem do sentimento, tão humano em suas raízes. Obrigado, amiga. Que 77 seja para você um ano de paz e de criação. O beijo e o melhor pensamento do

Drummond

CARLOS DRUMMOND DE ANDRADE

Querida Renata,

este coração também corinthiano (sou um misto de vascaíno, cruseirense e corinthiano, embora nunca tenha ido a um campo de futebol) emocionou-se com o seu belo, pungente poema que é, antes de mais nada, um grito de fraternidade passando sobre as ilusões do povão. Isto é poesia social, da boa. Abraço carinhoso do
                                            Carlos

Rio, 9.X.78

CARLOS DRUMMOND DE ANDRADE

Rio, 17 de janeiro, 1979

Cara Renata, o reencontro com sua poesia madura e necessária é sempre motivo de festa em osas para mim. Estou vindo de "Noite Afora" com o sentimento de haver pisado chão de verdade e humanidade - uma humanidade generosa e crítica, tal como deve ser um dia de hoje. Obrigado, e o abraço amigo do

Carlos Drummond

CARLOS DRUMMOND DE ANDRADE

Rio, 1º de agosto, 1981

Cara Renata:

Que valente poesia, a de "Cantar MeuPovo!" É das realizações mais vibrantes no campo do lirismo voltado para a vida real e imediata, a vida não pintada de sonho. Você sabe exprimir o que tanta gente (inclusive os poetas) sente e não encontra recursos verbais, artísticos, para dizer. Gostei muito, inclusive da terna melancolia dos poemas finais.

O abraço agradecido e afetuoso do seu velho amigo

Carlos Drummond

TRANSCRIÇÃO DAS CARTAS DE DRUMMOND

PÁGINA 135

Rio, 8 de Maio 1956.

Renata Pallotini:

Eu estava arrematando uma croniquinha quando o carteiro me trouxe o seu livro. Abri ao acaso e encontrei aquele belíssimo "A caminho de casa", com alguns versos definitivos, que a gente não esquece mais. Então aproveitei-os imediatamente para fêcho da crônica. E aqui estou para lhe agradecer tudo isso, amiga Renata: a dedicatória maravilhosa e imerecida, o achado humano dos endereços, o "Monólogo Vivo" inteiro, cheio de poesia reveladora das coisas.

O abraço muito amigo de
CARLOS DRUMMOND DE ANDRADE
Rua Joaquim Nabuco, 81

PÁGINA 136

Rio, 30 de novembro 1958

Prezada Renata Pallottini:

Estou recebendo agora a sua "entrega rápida". O aproveitamento do "Caso do Vestido" por um grupo de teatro amador, de que V. faz parte, só pode dar alegria a este velho fazedor de versos, e ainda mais se a adaptação é sua. Nada tenho pois a objetar, tenho sim que agradecer-lhe a lembrança gentil. Aqui no Rio a Tônia Carrero já apresentou o poema, dramatizado, numa TV.

Como sou filiado à SBAT, será talvez conveniente que a estação se entenda com a agência local dessa sociedade, no tocante a direito autoral.

Boa sorte para o grupo, amiga Renata, e o melhor abraço do
CARLOS DRUMMOND

PÁGINA 137

Rio, 19 de abril 1962.

Renata Pallottini:

Que dizer do seu "Livro de Sonetos", senão que ele é uma pura obra de arte, fruto de um grande pensamento amadurecido em poesia? Leio e releio cada peça, e o conjunto não se fragmenta em realizações mais ou menos felizes. É poesia completa em si, redonda, integral. Fico-lhe comovidamente grato por se haver lembrado de oferecer um exemplar a este seu amigo distante mas fiel.

Com a admiração, o abraço melhor do
CARLOS DRUMMOND

PÁGINA 138

Rio de Janeiro, 22 de junho 1966.

Obrigado, Renata Pallottini, por toda a poesia concentrada "no engaste da pedra amara". Que expressão cortante, que intensidade na palavra sabiamente amadurecida! Os versos são necessários, insubstituíveis, de uma gravidade definitiva. Você diz o que é verdade profunda "na carne da carne", o essencial que transita entre a vida e a morte. Fiquei apaixonado por "A Faca e a Pedra".

A admiração agradecida, num abraço afetuoso, de
CARLOS DRUMMOND DE ANDRADE

PÁGINA 139

Nascer /outra & outra vez /indefinidamente /como a planta sempre nascendo /da primeira semente; /pensar o dia bom /até criar a claridade /& nela descobrir /a primeira sílaba /da primeira canção.

A Renata Pallottini, /grato a seus votos e /à funda, essencial poesia /de "Forma Quase Uma Fome" /(que tanto gostarei de ver / publicada em livro), /também os melhores /desejos de seu amigo

CARLOS DRUMMOND
Rio, Natal, 1967

PÁGINA 140

Poesia de Renata: /sob a música exata /há um tremor humano. O verbo conta mais /do que os jogos verbais: /o mundo refletido.

O tempo, o ser, a morte, /o invisível suporte /do amor, por sobre o caos.

Poesia de Renata /um reflexo de prata /no deserto noturno.

Com um abraço de
CARLOS DRUMMOND
Rio, 24, XI, 1969

PÁGINA 141

Obrigado, Renata, pelo recorte dos quadrinhos. A pedra no caminho, que já me deu tantas chateações, agora me dá essa alegria: umas linhas de você. Que bom!

Abraços do
CARLOS
Rio, 18. V. 1970

PÁGINA 142

30.8.71

Querida Renata:

"Sinal de Trânsito": apenas quatro versos – e dizem tanto!

Obrigado pela boa palavra.

O carinho de
CARLOS

PÁGINA 143

Na volta da esperança, /um princípio de vida:/ser outra vez criança/por toda, toda a vida.

Renata amiga:

Merci pela beleza severa de *Os Arcos da Memória*, poesia da melhor neste dezembro de tão falsas poesias. Desculpas por divulgar os meus versinhos sem pedir licença? Ora, Renata, "você não precisa pedir licença"! E o que eu escrevi então, assino e confirmo em cartório ou fora dele. Abraços e bom votos do seu amigo

DRUMMOND
Rio, dezembro 1971

PÁGINA 144

Rio, 24 de junho de 1973.

Querida Renata:

Foi uma alegria receber o poema de Casimiro de Brito copiado por você em papel florido e com o carinho de sua palavra amiga. Obrigado, um beijo e o pensamento afetuoso do

CARLOS

PÁGINA 145

Uma vez mais se constrói/a aérea casa da esperança./Nela rebrilham alfaias/de sonho e de amor: aliança.

À querida Renata,

Grato à sua impregnante poesia, também os melhores votos do

CARLOS
Rio, XII, 1973

PÁGINA 146

Rio, 30 julho 1975.

Renata, amiga querida:

Ter notícias de você em forma de livro novo foi uma alegria

para mim. Leio e reencontro você em talento e sensibilidade, na bela prosa de *Mate é a cor da viuvez*. Obrigado, amiga!

O melhor abraço do seu
CARLOS

PÁGINA 147

Ramo de lucidez/ e ramo de carinho:/ com esses dois verdores,/ ornamentar o ninho/ onde a forma nascente/vai torrnar-se destino.

Querida Renata, quanta poesia você me deu como presente de fim-de-ano! Senti seu coração pulsar nos versos ardentes e fraternos de "Coração Americano". E em "Chão de Palavras", a vasta e bela paisagem do seu lirismo, tão humano em suas raízes. Obrigado, amiga. Que 77 seja para você um ano de paz e de criação. O beijo e o melhor pensamento do

DRUMMOND

PÁGINA 148

Querida Renata:

Este coração também corintiano (sou um misto de vascaíno, cruzeirense e caraguense, embora nunca tenha ido a um campo de futebol) emocionou-se com seu belo, pungente poema que é, antes de mais nada, um grito de fraternidade pairando sobre as ilusões do povão. Isto é poesia social, da boa. Abraços carinhosos do

CARLOS
Rio, 9. X. 78

PÁGINA 149

Rio, 17 de janeiro, 1979

Cara Renata, o reencontro com sua poesia madura e necessária é sempre motivo de grata emoção para mim. Estou vindo de "Noite

Afora" com o sentimento de haver pisado chão de verdade e humanidade – uma humanidade generosa e crítica, tal como deve ser nos dias de hoje.

Obrigado, e o abraço amigo do
CARLOS DRUMMOND

PÁGINA 150

Rio, 1º de agosto, 1981

Cara Renata:

Que valente poesia, a de "Cantar Meu Povo!". É das realizações mais vibrantes no campo do lirismo voltado para a vida real e imediata, a vida não pintada de sonho. Você soube exprimir o que tanta gente (inclusive os poetas) sente e não encontra recursos verbais, artísticos, para dizer. Gostei muito, inclusive de terna melancolia dos poemas finais.

O abraço agradecido e afetuoso do seu velho amigo
CARLOS DRUMMOND

O EXERCÍCIO DA POESIA

ELZA CUNHA DE VINCENZO

ELZA CUNHA DE VINCENZO (1923-2000) foi ensaísta, crítica e professora de Literatura Dramática e História do Teatro na Universidade de São Paulo. A Editora Perspectiva publicou, em 1992, seu estudo crítico *Um Teatro da Mulher*, até hoje obra de consulta básica para estudiosos do assunto.

O EXERCÍCIO DA POESIA*

De *Acalanto* (1952) a *Os Arcos da Memória* (1971), um olhar crítico mais atento pode perceber com clareza não só a marca inconfundível de uma firme destinação de poeta, como o significativo caminho que a poesia de Renata Pallottini percorreu através dos oito livros em que se organiza a totalidade de sua obra, até 1971.

Trata-se aliás, por um lado, de uma obra que, já pelo volume e pela extensão, se recorta com extraordinária nitidez no panorama da poesia brasileira de nossos dias, onde se vê com freqüência a cada temporada um sem número de poetas ansiosos por "dizer coisas" na fase juvenil da descoberta do mundo, mas que, na sua grande maioria, após a primeira publicação, acaba desaparecendo por falta de estofo e de fôlego, sem deixar sinais.

Por outro lado, há aí uma poesia que se afirma pela alta qualidade de sua construção, progressivamente realizada: é perfeitamente evidente, nesse caminhar de vinte anos, um notável processo de maturação.

Essa maturação, aliás, já a assinalara Adalmir da Cunha Miranda, anteriormente a *Os Arcos da Memória,* quando da publicação de *A Casa,* em 1958. No estudo com que abre o livro, o analista chama a atenção para uma verdadeira mudança de nível, para a passagem do que denomina "exercício da poesia" ao que considera o autêntico "ofício poético".

Ora, conquanto válido no conjunto de sua formulação, tal enfoque parece tornar-se discutível na medida em que

* Ensaio inédito, 1975.

marca uma oposição – ou mais precisamente uma gradação de valor – entre "exercício" e "ofício", tomando o primeiro no sentido de mera preparação ou treinamento para o segundo. "Exercício" – de exercer – pode, entretanto, ter uma acepção, digamos, mais nobre e verdadeira. Pode exprimir a vigência de determinada realidade, o "estar sendo" permanentemente, um ser e um vir-a-ser constituintes de um modo específico de existir. Não pode, portanto, opor-se a ofício, termo que se refere, naquele estudo, ao desempenho sério e eficiente de determinada atividade produtiva. E a Renata não se pode negar, com justiça, em nenhum momento, a seriedade e a eficiência de sua produção poética. No seu caso, não se trata de, nas primeiras obras, um exercitar-se para exercer depois o ofício de poeta (como se poderia depreender das afirmações do crítico), mas se trata, desde o início, de um continuo "fazer poético"; trata-se, com certeza, na constância e validez desse fazer, da evidenciação de uma modalidade básica de ser. Exercer a poesia é, em Renata, uma forma de atuar sobre as coisas e os seres, sua forma vital de permuta com o mundo.

A verdade é que a análise deste último livro – *Os Arcos da Memória* – pode pôr em relevo os fulcros centrais da poesia de Renata Pallottini, as linhas de força que estruturam seu universo poético, elementos já presentes em sua produção anterior, constantes que correspondem a uma singularíssima forma de plasmar o mundo e que conferem à obra, em conjunto, o sentido de um ininterrupto exercício da poesia, em sua mais ampla acepção.

O que há, isso sim, ao longo do caminho, é um perceptível enriquecimento, um progressivo apuro da técnica, um amadurecimento em todos os níveis. E por técnica, é óbvio, não entendemos nada que se pareça a um hábil arranjo formal apenas, mas entendemos a consciente e adequada estruturação polifônica de todos os estratos que dão ao poema sua configuração de verdadeiro objeto de arte, no qual tudo significa, aonde tudo conflui para instaurar aquela realidade específica que é a sua.

É em alguns desses fulcros (os quais não esgotam, evidentemente, todas as possibilidades de significação desta poesia) que pretendemos agora fixar nossa atenção, ao examinar, particularmente, os poemas de *Os Arcos da Memória*. Isso nos obriga com freqüência a reportar-nos a outras publicações do poeta, já que, em sua obra como um todo, vislumbramos o sentido de uma construção orgânica poeticamente muito significativa.

1. A palavra

> As palavras vêm saltando à minha procura
> ....
> E tenho de domá-las como a cavalos selvagens
> ....
> Mas que imensa saudade
> De seu livre saltar por entre as auras do impossível.

A descoberta desta verdade fundamental da poesia – Renata a fez muito cedo: é com palavras que se tem de haver o poeta, pois é de palavras que a poesia se faz. Tal consciência – a mesma do pensamento crítico atual, que vê na palavra a única via idônea de acesso ao núcleo do fenômeno poético – percorre toda a obra, a partir dos primeiros poemas e se vai fazendo cada vez mais exata e precisa à medida que amadurecem poeta e mundo, à medida que amadurece o mundo no poeta. E o trabalho que é "doma" e "busca" (a princípio muito mais *doma* que *busca*) em que consiste o processo mesmo desse fazer específico, torna-se, de vez em quando, claramente temático:

> O que se conservará lúcido, no mundo, quando as palavras enlouquecerem?
> O que será puro, no mundo, quando as palavras se abastardarem?

O poeta crê na pureza das palavras, acredita na sua eficiência e na sua força. Elas são as únicas "herdeiras da alegria do mundo". E a alegria de senti-las pulsar como seres vivos e amados, como seres de sangue se completa, neste poema de 1956, com a feliz consciência da *vocação:*

> As palavras vêm saltando à minha procura
> ....
> ....
> Resta-me domá-las.

Não é ainda o poeta que as procura: elas o procuram e sua profusão o obriga a sujeitá-las como um domador a seus cavalos. Crê que as palavras são domáveis e está certo de poder, afinal, conter o "seu livre saltar por entre as auras do impossível". A confiança nesse poder e a juvenil alegria da superabundância estão, inclusive, significadas no longo verso de "O Sangue das Palavras", no seu ritmo largo e aberto como um vôo.

Muito breve, porém, tal luminosidade vai ceder a cores menos brilhantes. Avoluma-se a tensão em torno da mensagem não comunicada, *essa que ficou e os ouvidos sepultam*.

Sente-se, aos poucos, o aflorar da inquietação por aquilo que não alcança dizer-se:

> Tenho um ritmo fértil a latejar-me nas têmporas

Afinal, em um poema pouco posterior, "Chão de Palavras", embora viva ainda a mesma consciência, é inteiramente outro o tom:

> Somente a voz, antigo Deus, é a mesma.

O poeta conhece as novas necessidades de seu trato com as palavras:

> ....
> e agora é a vida
> e seus longos caminhos.
> Como prosseguir sem novos verbos?
>
> ....
> .... as folhas, dúbias folhas,
> são sussurros.
> ....
> hoje florescem ritmos diferentes.
>
> E diferentemente aspiro
> à forma, Senhor

E humildemente se curva para buscar:

> Curvo-me e mergulho os dedos
> Neste chão de palavras.
> A terra soa.

O ritmo menos alvoroçado, agora, contido, a articulação de versos que – de medidas diferentes entre si – se completam com pausas de interrogações repetidas e silêncios, e o tom menor das sibilantes que se sucedem ("... as folhas, dúbias folhas/ são sussurros."), falam, nestes poemas, de mudança, de um valioso caminhar para dentro. Não mais "auras do impossível", mas apenas "chão". A grande maioria das imagens tomadas ao mundo vegetal, são transparências para um universo de quase silêncios, pleno de possibilidades de sons, de gérmens de vida: a terra que soa tem de ser lavrada com humildade e paciência, é necessário o curvar-se sobre ela, se quisermos que seja compensadora a colheita. As palavras têm de ser buscadas em seu cerne, em suas próprias raízes para que venham a florescer "ritmos diferentes". E é notável que a consciência disso seja perfeitamente nítida, já a essa altura:

> E diferentemente aspiro
> à forma, Senhor.

Nos dois versos isolados após uma longa estrofe, a palavra "forma" destacada do verbo de que é complemento e seguida da pausa inflexiva do vocativo suplicante, sustém a nota dominante de todo este final de poema que se fecha com uma clara decisão:

> Quero enterrar-me autêntica
> no teu chão de palavras.

É seguramente também a profunda consciência desse imprescindível curvar-se para o chão, a consciência de que é no trabalho dessa lavra que o poeta terá de construir-se, construindo, o que faz de Renata Pallottini um poeta do seu tempo.

Ser um poeta do seu tempo significa dar a esse tempo uma voz que o diga, significa plasmar, com a própria substância dele, o momento singular que esse tempo representa na corrente mais ampla do estar do homem no mundo.

Quando o mundo que se oferece ao poeta como referente é, como o de agora, primordialmente feito de perplexidade e angústia em todas as suas formas e, muito em especial, a da palavra que *não diz* – se o poeta lhe dá voz – conhecendo embora a extensão da dificuldade de tornar essa voz congruente e audível – esse poeta é um poeta do seu tempo. E nenhum tempo como o nosso teve a consciência tão nítida da quase impossibilidade de *se dizer*, impossibilidade que, paradoxalmente, só encontra equivalente na necessidade dolorosa desse dizer.

Colocada sob suspeição em todos os campos, secundada, e muitas vezes substituída por signos de outras linguagens – especialmente no universo pragmático da comunicação urgente e persuasiva – a palavra tem sido também atingida em seu próprio reduto. Não só as estruturas maiores do discurso foram tocadas: também os núcleos menores, o vocábulo mesmo como tal, o foi. E a poesia acaba, muitas vezes, por ser feita com farrapos, com franjas de palavras mutiladas, desmontadas, remontadas, transformadas em outra coisa, sempre na busca ansiosa de uma dicção mais eficaz. Alguns dos movimentos mais recentes da vanguarda literária vivem do curioso paradoxo de tentar anular a palavra, no propósito final de pôr a nu um valor absoluto, inteiro, insistindo na exploração de suas possibilidades mais recônditas, para, em última instância, obrigá-la a dizer.

Poetas como Renata, porém, não mutilam suas "amadas palavras". Trabalham-nas, empenham-se em fazer delas um instrumento preciso de medição da temperatura da vida. Incorporam-se à sua maturação e à maturação do mundo. Sabem com lucidez que sua forma peculiar de conjurar a angustiante complexidade do real é reduzi-lo à essencialidade da palavra.

Em *Os Arcos da Memória,* último livro publicado de RP, aproximadamente a 15 anos de distância, portanto, de "O Sangue das Palavras" e "Chão de Palavras", está presente a mesma consciência de sua matéria e de seu instrumento de trabalho. Agora, porém, seguindo a linha de aprofundamento que vimos esboçado no segundo poema mencionado, atinge o poeta um despojamento e uma precisão tais, que revelam ter sido totalmente incorporada aquela intuição inicial.

O autêntico amadurecer de sua dicção – para só falarmos do aspecto que estamos analisando – fica patente, por exemplo, em poemas como "A Palavra Amor", poema substantivo por excelência, "honesto e escasso", em que os adjetivos, menos que qualificativos, são epítetos de extensão, poema sem concessões melódicas, de ritmo seco e batido:

> A palavra amor
> honesta e escassa
> sem outros afagos
> sem outros adornos
>
> simples e amarga
> ....
> seca e despojada

amor sem mais nada
amor imesclado
amor mais amado
e feito palavra.
A palavra amor.
Dita e sepultada.

O amor, por definição experiência de um angustiante vir-a-ser, é justamente captado, capturado — portanto, conjurado — na palavra mesma que o nomeia: a palavra e a realidade a que ela se refere convergem para uma identificação absoluta, de forma que o objeto da poesia é atingido plenamente: o amor é afinal "feito palavra".

Os vocábulos "forma" e "nome", tanto quanto "palavra", denotativos da mesma funda preocupação, voltam com freqüência aos poemas de *Os Arcos da Memória:*

> Há uma forma exata
> de se dizer amor
>
> mas ninguém sabe dela
> senão que a desconhece
>
> e que tenta solvê-la.
> ....
> Forma quase uma fome
> que não morre nem come.

Ou:

> De que vale dizer o nome
> e mais, pensá-lo? O nome
> apenas chama, não
> aquece nem consome

O EXERCÍCIO DA POESIA | 171

O nome serve só, ah,
para o reclamo
para a voz que reclama,
só para o grito.
Nome: apelido posto
Para finir o infinito.

"Finir o infinito" é bem a função do poeta, sua profunda razão de ser, e Renata Pallottini sabe bem dessa verdade. É, porém, nas pequenas "Poética I e II", de *Os Arcos da Memória*, que esse saber e a angústia da quase impotência a que corresponde tomam a forma mais aguda e admiravelmente sintética:

Na sala quieta um halo.
No seu circulo a mão que escreve, a página.
No escuro os olhos,
fonte do depoimento necessário,
loucura a que se dá forçosa guarda.

Depois de tudo, a fala produzida.
Fora, como rival invencível, a vida.

E assim, tendo partido da crença incondicional na possibilidade de "doma" da palavra, chega o poeta, com outros poetas maiores do seu tempo e por seus próprios caminhos, à mesma constatação: a vida é, afinal, "a rival invencível", a incapturável. O infinito não se deixa finir senão em luta áspera, e a tentativa de o fazer constitui aquela "loucura a que se dá forçosa guarda", destino mesmo do poeta que indefinidamente se pergunta sobre o seu próprio mistério, perguntando pelo mistério do mundo.

2. Maduro o mundo

Maduro o mundo
madura a fruta a ser comida, vida.
Os olhos testemunham
o que, no coração, pára e respira.
Dos calmos arcos frios da memória
uma onda volta, cada vez mais rica.

A palavra redescoberta, desbastada, reconhecida como a única e difícil esperança, reconduzida a sua função inaugural, transformada em "coisa" poética, "tanto mais signo quanto mais coisa" (como quer Mikel Dufrenne) tenta pois nomear o mundo. E esse mundo que amadureceu no poeta nos é dado a comer – transubstanciado – como um fruto sazonado.

A síntese perfeita que são os seus versos de "Maduro o Mundo" – poema que justamente pelo seu caráter de súmula forneceu os elementos para o título da obra – contém dois aspectos fundamentais para a compreensão da totalidade desta poesia.

Em primeiro lugar, deixa entrever o próprio processo de cristalização poética em Renata Pallottini. O amadurecimento a que nos referimos, o orgânico formar-se de dentro para fora, é invocado nos primeiros versos e, em seguida, flagrado nos momentos indissociáveis que o constituem: o poeta é testemunha, está diante do mundo mas esse testemunhar é o início da incorporação: o mundo acaba por penetrá-lo e "no coração pára e respira" – transubstancia-se.

Por outro lado, a percepção de que "dos calmos arcos frios da memória/uma onda volta cada vez mais rica" é a percepção profunda e obscura da própria substância do lírico, ela mesma identificável – segundo Steiger – com a "recordação" (que o autor distingue da pura memória ou da faculdade de lembrar). Recordação não de um passado estatisticamente arquivado e agora reexumado, mas refluxo de um *vivido* substancialmente transformado em *viver*, como a presença de uma dimensão essencial, sem a qual a vida se fragmentaria sem atingir o ser. "Recordar – diz Steiger – deve ser o termo para *um-no-outro lírico*". A onda que volta cada vez mais rica", volta não só dos "calmos arcos frios da memória", mas *para* eles. É um estranho rio heraclitiano, que flui e passa sem deixar de ser, e é sempre o mesmo sendo sempre outro.

A maturação de que o poeta se apercebe é posta, inteiramente, ao longo da duração do poema, desde os sons densos e escuros dos primeiros versos – "Maduro o mundo/madura a fruta a ser comida, vida" – ate à claridade das vogais abertas, lentas e longas dos últimos. Esses "calmos arcos frios da memória" levam a região nitidamente iluminada, mas nua e misteriosa de arcanos quase intocáveis.

3. O silêncio. "Sejamos elementares".

É, pois, o Mundo assim amadurecido, transformado em, às vezes, ácidos frutos, que o poeta nos dá a comer nesta comunhão que é seu empenho, supremo, mesmo nos momentos em que, paradoxalmente, aspira ao silêncio.

O silêncio como expressão do pleno diluir-se em um universo de natureza, de seres e de coisas que *são* apenas, sem interrogações e sem dor, é nota que repetidamente volta ao canto do poeta. Água e pedra, animais e folhas são vigências da perfeição do ser. Já nos poemas da primeira fase, os de *Acalanto* ou de *Cais da Serenidade,* se coloca o anseio fundo e verdadeiro de uma forma de plenitude que identificaria o homem a coisas e a seres que, sendo apenas, são perfeitos. Há uma intensa aspiração a ausência de complexidade, que é sentida como criação do absurdo querer do homem, de sua áspera força, de seu desejo insaciável de posse e de mudança, de sua ruptura com o elementar e o natural. "Sejamos silenciosos como um anjo que se deita" é uma profunda e antiga aspiração. (O verso citado pertence a um poema de 1952, inserido em *Acalanto*, e se chama "Silêncio". Tem esse mesmo título um dos mais bem logrados poemas de *Os Arcos da Memória*, 1971, o qual adiante citaremos.)

Reveladores desta mesma visão existem poemas distribuídos, sem exceção, por todas as outras obras do poeta. "Minha alma é a alma dos objetos", diz o "Poema do Elementar". "Minha alma é a alma dos bichos".

A aspiração a "ser elementar", que soa ainda aqui como um projeto juvenil, toma logo depois a forma de um desejo de simplicidade, de que o aspecto bucólico e exterior é a face exposta do anseio por uma intensa quietude interior.

> Deixa que a vida simples desenrole
> diante de nós o seu opaco ambiente
> ....
> Há estradas e beirais e pão dormido
> há mares de ser nauta e peixe fresco
> há o trabalho brutal e a sombra e o ruído,
> há o vinho, o amor, o trigo, o pitoresco.
> Antônio, ser é quase preguiçoso;
> Quando se existe, é tudo...

A contemplação da "caveira de um burro" lhe solicita a reflexão sobre a complexidade humana, contraposta ao silencioso existir do animal

>............
> nós, muares erguidos, intranqüilos,
> pensamos surpreender a madrugada,
> mas tua branca frente é que responde
> à luz sentida antes de qualquer outra;
> ....
> ....
> Assim nós te inventamos, Januário;
> de bicho claro e simples, te fazemos
> um ser em espirais, porque é do homem
> dificultar o que ama, ou disfarçá-lo.

Ainda em "Bucólica", de 1960 (incluído em *Os Arcos da Memória*), o mesmo desejo de identificação com o natural absoluto:

> Quanto sol! No meu trote eu sou um burro
> todo voltado para fora, de olhos claros
> ....
> À esquerda o mar brilhante e desatado
> em cima o céu, por dentro a inconsciência

O estar voltado para fora, a inconsciência, são anseios que se vão colocando cada vez de forma mais funda e aguda, como tomada de consciência cada vez mais séria e melancólica da pesada carga que cria para o homem sua faculdade de pensar e conhecer. E à medida que se vão fechando as espirais deste "ser em espirais" que o homem é, vai-se fazendo progressivamente doloroso e fundo o desejo de despojamento:

E então, pergunto, por que esta vida
de pão e horas moídas?

Por que não somente um pássaro
na insciência da tarde clara,

Uma árvore verde imbutida
no musgo da manhã ... Por que esta vida?

Por que não uma pedra severa
que não procura, não erra, não espera,

ou então outra vida, outra vida
que não esta, de sal e lâminas finas

que não esta, de sal sobre as feridas?

até culminar em um dos mais significativos — e importantes — poemas deste último livro, em que o silêncio é percebido em toda a sua misteriosa solenidade, como o elemento em que o pleno pode finalmente dar-se, como aquilo que há de completar, fechar o círculo da inquietação humana, fazendo-se atmosfera de paz absoluta, de absoluta plenitude:

Nos cantos mais escuros das igrejas
inscreverei a palavra silêncio
e a defenderei.

Defenderei seu corpo nos pátios interiores
defenderei sua carne, molhada apenas
pelos fios de água das fontes fechadas
dos surtidores que entre folhas brotam
....
Guardarei meu silêncio contra minha própria voz
Farei emudecer minha canção de amor
E não serei no uníssomo do absurdo
....

O EXERCÍCIO DA POESIA | 177

Se tudo isso não basta
hei de morrer sem ruídos,
devagar como convém a quem conhece a sua morte,
em noite de luar com o mínimo de insetos
e hei de fazer a pé o caminho que haja
e hei de esperar no umbral
até que a Deus convenha abrir-me a porta
(se a abrir)
em silêncio absoluto.

4. O reencontro com as raízes. O tempo.

A constância de um voltar-se para os núcleos centrais de onde se arrancam os significados definitivos, a consciência de que ali estão as fontes vivas do ser e da criação, uma lucidez que não é lógica mas intensamente poética acerca das origens e dos processos (que vimos delineada no reconhecimento da palavra como forma fundante e no vislumbrar dos caminhos da própria maturação) talvez seja o traço fundamental da poesia de Renata Pallottini: uma poesia que, em essência, *se sabe*.

O mistério das origens – de suas próprias origens, inclusive – como o dos fins, origens e fins entre os quais se insere o espaço-tempo da vida permanentemente interrogada – toca também, desde cedo, a sensibilidade reflexiva do poeta. "Quem sou?" é uma pergunta que, tal como a de Édipo, levanta a questão implícita – "Quem somos?" e percorre de um extremo a outro todo o universo desta poesia.

A perquirição se inicia ainda nos poemas da primeira fase e é sempre tomada como um insistente motivo musical, que se amplia, se enriquece, se desdobra ao longo da obra. "Retrato de Família", um poema de 1953, revela já a ansiedade por essa identificação que (expressa aliás, num giro de frase muito peculiar ao modo do poeta) se pode dizer regressiva:

> Não sei, mas às vezes penso
> que, vai ver, tenho por baixo
> da minha infelicidade,
> alguma grande vontade
> de ser meu antepassado...

Há aí, sem dúvida, esboçada, uma forma de apreensão cíclica da vida: os pontos iniciais e terminais buscam tocar-se, para que o todo possa assumir significação plena. Mas à medida que a maturação se faz, aquela vaga ansiedade vai tomando a forma de uma inquirição insistente, que envolve, inclusive, cada vez mais um questionar acerca do tempo.

O tempo, sua fugacidade e irreversibilidade significam distanciamento das raízes primeiras e, portanto, fragmentação, perda de si mesmo, obstáculo à plenitude do ser. A completa intuição desse processo constitui a tônica básica das interrogações reiteradas de poemas como "Se Eu Sei" (1965):

> Se eu sei
> que este cheiro de café recém coado e a voz de minha mãe
> cantando uma velha canção sem palavras
> [velha até mesmo para ela]
> estão proibidos de voltar sob nenhum disfarce
> porque não interrompo a voz com um grito
> não digo – minha mãe me dá um copo de água
> não impeço o momento de ser tão soberanamente
> com seus perfumes, seus sabores
> sua carnação de tempo
> se eu sei?

A irrecuperável "carnação de tempo" proibido de voltar sob nenhum disfarce se avoluma e se deixa perceber na quase linear narração lírica desses versos. E as interrogações voltam repetidas, dolorosas, – em poemas como "Poema Lembrando o Outro":

> ... que estranha neve é esta
> que cai em mim de um outro dia?
> Que outro tempo em mim
> de frio me percorre,
> que morte é esta, que tão viva,
> hoje me morre?

E é somente em "O Peregrino de Roma", possivelmente o poema central de *Os Arcos da Memória*, que as perguntas por esse tempo dos "outros", que vivem no poeta e que o tornam íntegro, como que encontram resposta apaziguadora. A retrotransposição, inclusive espacial que ele exprime, parece conferir significados e símbolos aparentemente indecifráveis, e a angústia que essa indecisão produz como que se aquieta. A partir do momento em que a peregrinação o leva afinal à pátria nunca vista e agora reencontrada, o poeta sabe que ali tudo:

> São coisas novas como recordadas
> ....
> Passa o rio por entre seus infantes,
> lacerado de pontes e senhor de guerras.
> Suas águas de terra opaca seguem.
> Mas em mim esse rio escuro é sangue,
> mas são carne essas pedras.
> ....
> Por isso é que eu escuto e sinto tão claramente
> a voz tranqüila do rio

E os pilares das pontes me transportam a outra vida.
Porque eu nasci aqui, nesta cidade,
há já bem tempo,
antes, que um mar surgisse entre mim e meus séculos.

"Entre mim e meus séculos'", expressão da misteriosa comunicação que se estabelece através desses escuros rios de sangue, cujo fluir o poeta conhece e recohece como sua própria e intransferível substância, em um autoconhecimento que platonicamente o transcende.

E o obscuro retorno à pátria-matriz, como o de Ulisses, se faz de lentos descobrimentos e da posse gradual de um território inalienável – o do ser profundo. Em "Aura Materna", repete-se a experiência:

> Vou caminhando pelos campos como se fossem meus,
> os campos.
> ....
> Porque da noite aspiro os vãos perfumes
> conservo a embriaguez dos tempos idos.
> ....
> Nestes fragmentos vos revejo, mas
> quem me compõe? Que sou? Meus olhos, minha boca,
> em que momento haveis construído a boca?

Não precisamente "Quem sou", mas "Que sou?" – a pergunta desce ao mistério da carne.

5. O homem e a pedra

Essa pátria reencontrada, porém, na verdade, acaba por ampliar-se para o mundo, para todo o espaço do homem. Certas cidades se fazem outras tantas pátrias escolhidas, onde o poeta se busca e busca os outros num tempo possível de reencontro. Dos campos da Itália à Plaza Mayor, dos becos de Paris à torre de Belém, seu sentimento do mundo cobre os largos da Terra e todos os campos e caminhos lhe pertencem de direito:

> Se louco me encarcerem
> na Torre de Belém.
> De lá posso ver o céu
> na boca do rio, e além.
> De lá posso até partir,
> mesmo sem a deixar.
> Posso aportar em praças
> (jeito meu de aportar).

Suas raízes se estendem pelas terras do Mediterrâneo, percorridas com a disponibilidade íntima de quem busca as coisas essenciais. E nas cidades todas, o poeta descobre o homem perene, descobrindo a obra do homem, a obra de homens anônimos que não foram, no tempo, senão sua obra:

> Pedra sobre pedra
> coração por dentro;
> mas ele mesmo
> pedra de mais efeito,
>
> trabalhada primeiro
> por quem de direito,
> (Deus ou outro gênio)
> para dar o exemplo.
> ....
> Sempre o homem perene
> de corpo presente
> persistindo a pedra
> de seu testamento

....
De corpo presente
o homem fez o feito.
Pedra sobre pedra
crença sobre crença
dedo junto ao dedo
tempo após o tempo.

De corpo presente.
De pedra presente.
Quem foi seu agente?
Silêncio. Silêncio.
Digamos: o tempo.

O tempo, consubstancial ao homem, que se detêm nas altas catedrais silenciosas, toma voz no ritmo reduzido dos versos curtos do poema, na percussão sombria das palavras repetidas, amontoadas, acumuladas como pedras, sólidas e definitivas.

A renovada incidência do vocábulo *pedra* na poesia de Renata Pallottini, revela sem dúvida um de seus pólos semânticos mais importantes: em torno de pedra se aglutinam percepções do estável, do silencioso, do perene, do elementar, do não-humano no sentido de não vulnerável ("Por que não uma pedra severa/ que não procura, não erra, não espera?")

Ao mesmo tempo, a contemplação da pedra como "testamento do homem" permite que se possa conferir a este a perenidade-transcendência que o torna completo, passível agora de integração na ampla totalidade do mundo apaziguado.

6. "A grande irrespondida"

> Quantas palavras colhe a morte
> como flores...

Com os motivos dos antepassados e do tempo se entrecruza, naturalmente, o da morte, outra das vertentes nitidamente assinaladas da poesia de Renata Pallottini. A morte é, muito cedo, perguntada em todos os registros: desde o particular e o pessoal, de alguém explicitamente (ou quase) designado: o pai ("algum rumo tomaram tuas raízes ásperas" –, a avó ("avó quando morreste/ quem morreu?"), quando ressurge o problema da identificação com aqueles que lhe constituíram o corpo e com ele os meandros do ser profundo – até aquela que, fazendo de repente silenciar os amigos, permanece como "a grande irrespondida, a mais calada":

> Onde está quem não está?
> ....
> Faço as inquirições de ser e morte e
> não respondo
> Sou pouco para o largo desse campo.

"O largo desse campo" é, no entanto, um permanente desafio e a ele voltam constantemente o poeta e sua inquietação. Em poemas esparsos por toda a obra ou agrupados em seções inteiras (como ocorre nos dois últimos livros – "Os Mortos", em *A Faca e a Pedra* e "Algumas Fantasias sobre a Morte*", em *Os Arcos da Memória*) retorna com insistência a mesma preocupação. E a reflexão se debruça fundamente sobre o mistério. Perscruta-lhe as mil faces e acaba por identificar nelas a unidade e a beleza do definitivo, a plenitude do "único mar":

.... Dura, é a beleza da morte
....
É o caminho irreversível, o canto que só se ouve um dia o único mar, a morte. O único mar. Deixai que o pássaro do vosso luto se desfaça em tempo.

A angústia desse irreversível, no entanto, no qual se diluem o tempo e sua tensão, compensa-se com o que implica de completo, de absoluto. E se torna marcante a quase ausência de desespero. A dor que o repentino calar-se dos amigos vai calcando ("Eu uso versos como gritos/ como espadas") transcende o círculo do meramente acidental e assume uma espécie de orgulho brotado da própria fragilidade humana, essa mesma que deve receber sobre os ombros a pesada carga do indecifrável.

A fragilidade do homem, aliás, o perecível, o vulnerável, marca implacável de sua condição, se torna objeto de uma grande compaixão que não é lamento, mas altivez. Ressoa clara em certos poemas a estranha nota do reconhecimento de uma força que paradoxalmente parece nascer da fraqueza:

> Toda uma verdade
> vulnerável, fina,
> recobrindo a pele
> pálida e doída.
> Se matais o homem
> deveis romper antes
> a verdade que uiva
> do animal vencido.
>
> O homem não morre
> sem essa ferida.

Ao homem, confere-lhe grandeza essa ferida de "animal vencido". Ainda nos maiores momentos de impotência e desamparo:

> Bêbado e ausente
> deitado na rua
> ....
> Rodeado de água,
> resto de caneta
> toco de corrente
> todo o sol por cima
>
> assim vejo o homem.
>
> Dorme e está ausente.
>
> Traz as suas taras
> relógios e chaves.
> correntes de nada
> canetas e trastes.
>
> Mas dormindo brilha
> Sua humanidade.

Essa mesma humanidade que se destina a morrer, mas em cuja morte se inscreverá, afinal o definitivo, o pleno, o intocável:

> Dizei portanto as sentenças e os crimes.
> Já não podeis condenar-nos à morte.
> Já pouco importa.

De tal forma que responder à pergunta sobre a morte é decifrar o mistério da vida:

....
somos nós nossos mortos e estamos enterrados
e jazemos nós mesmos misturados às flores

....
Porque estamos deitados,
vitoriosos e sós, imaculados, livres
Com as mãos cheias de terra e de silêncio

Tocam-se novamente aqui as extremidades, fecha-se o círculo, cumpre-se o espaço-tempo, incorpora-se a morte à própria vida e a totalidade é refeita.

Percebida não como o Nada, mas como plenitude, como liberdade absoluta, enfim, como vitória absoluta, a morte é o grau mais alto em que floresce a vida verdadeira, e a partir de suas formas mais elementares. Está, de certo, prefigurada na perfeição do simples, do natural, do elementar, na perfeição da terra com suas pedras, suas águas, seus frutos, na quietude da semente que nela se deita:

....
ele é sozinho e completo
como alguma coisa que vai ter à terra

Nesse elementar e natural, ao qual o grande silêncio de morte faz retornar, a poesia de Renata busca captar a integração do homem com o todo, num amplo e intenso sentido dionisíaco do mundo, um mundo verde, uno e completo, anterior à fragmentação e à dor.

O CORAÇÃO AMERICANO DE RENATA PALLOTTINI*

O coração da América do Sul
tem uma cor qualquer
nenhuma ação
tem uma pálida nação, tem rios,
charcos fétidos, guerra que passou...
Riachuelos, fontes, cachoeiras,
iguaçus de poder a se perder...
... no coração transido o índio nu
tem desenhada a América do Sul.

(Guarânia)

Tentar uma resenha do pequeno livro de Renata Pallottini (*Coração Americano,*) é e não é uma tarefa simples. Basta abri-lo em qualquer página: de qualquer de seus nove poemas ressuma algo com "sabor de vidro e corte" (Fernando Brant), de "mate almíscar cheiroso/ mate amargo/ mate aguado infeliz" (Guarânia) que o poeta foi capaz de degustar e passar para nossa boca. Por outro lado, e simultaneamente, a unidade da obra, seu caráter compacto e cerrado – que, entretanto, nada tem de hermético – quase não permite o desvelamento conceitual, a fragmentação da análise.

O impulso que se tem é transcrevê-lo, ouvir diretamente a voz inconfundível que o poeta captou:

Toda esta América, o centro
desta alta América de dentro
que voz que tem! Voz tão antiga,
de ídolos de pedra e de argila cozida...

(Comandante)

* Resenha de *Coração Americano*, São Paulo, Meta, 1976. Publicada na revista *Poesia* n.1, São Paulo, dez. de 1977.

é reproduzir as imagens de que o poeta ficou impregnado e que fez viver nos poemas:

> Nas verdes colinas há um silêncio de morte.
> Entre árvores, pássaros, moradas
> Um silêncio que veio se acomoda.
> Surgem as fontes de água,
> caminhos de homens sós, passos, picadas,
> entre pássaros, fontes, emboscadas.
>
> (Coração Americano)

Em 1969, viajando com um grupo de alunos-atores da Escola de Arte Dramática que levariam ao Festival de Teatro Universitário de Manizales, Colômbia, uma peça sua, Renata teve o seu primeiro contato direto com a América. Repetiu-o mais tarde em viagens ao Paraguai e a outros países.

Bem antes desse primeiro contato, entretanto, a América já estava, na verdade, presente no horizonte de seu interesse: uma vigilância do coração a mantinha constantemente voltada para as terras e cidades onde viviam amigos, aqueles "companheiros de sala" a quem de repente se tinha imposto silêncio:

> Quem está degradado em seu ofício
> quem, desterrado e puro
> a quem enviaremos nossas cartas cifradas?
>
> (Coração Americano)

Sua vocação de abertura para o mundo — que obras anteriores tinham já revelado — aquela capacidade de ampliar as dimensões da pátria para espaços onde se encontra o homem e sua luta, o homem e os sinais de humanidade que por onde anda vai deixando vincados, não poderiam deixar de levá-la a reencontrar a América. Porque se trata de um reconhecimento, não propriamente de uma descoberta. Não de uma coisa nova, mas de uma confirmação. A América de Renata — *bebe-se coca-cola como alhures* — inclui o Brasil, alarga-o. Por toda parte é, afinal a mesma

> Guarânia da vida breve
> realmente breve
> totalmente breve
> guarânia das crianças que morreram novas
> e das que nem chegaram a nascer.
>
> (Guarânia)

que o poeta ouve.

Este elemento — a América como uma realidade que também é nossa como uma luta que nos diz respeito — retira dos poemas de *Coração Americano* qualquer vislumbre de pitoresco, de impressões de viagem, para fazer dele o canto da pátria maior, a dos homens que tentam subir

> esta barranca
> toda cor de sangue
> subir por ela, a lama sob o queixo,
> as patas no vazio, as mãos barrentas
>
> (Guarânia)

A poesia de Renata Pallottini, que já percorrera os caminhos mais difíceis de sua construção, que muitas vezes se debruçara sobre si mesma para buscar o sentido mais fundo do próprio fazer-se, numa reflexão que a caracteriza como um trabalho particularmente lúcido e maduro, toma, neste livro, novas inflexões.

Lançado em novembro de 1976, durante a Feira de Poesia, *Coração Americano*, revela a presença de uma nova marca. Enfeixando poemas produzidos nestes últimos anos, confirma o domínio completo que o poeta tem sobre o seu material e seu instrumento de trabalho. Porém, mais que isto, nos permite apreender certas características que, embora presentes também em outros momentos, aqui alcançaram seus níveis mais significantes.

Coração Americano representa, dentro da produção de Renata Pallottini, um instante privilegiado: o da possibilidade de uma comunicação direta, imediata, com o ouvinte (não mais apenas com o leitor). Alcança um tom de "fala poética" que é, com certeza, um dos objetivos da poesia brasileira — pelo menos da poesia paulista — neste momento. Esse caráter se confirmou, por exemplo, nas sessões do Teatro Municipal, durante a Feira, quando alguns poemas foram lidos pela própria autora.

Dizer seus poemas, aliás, diante do público que a eles pode "responder" livremente, imediatamente, faz parte das preocupações de um grupo de poetas empenhados em devolver à poesia uma de suas dimensões essenciais: falar com, falar por, promover um diálogo vivo. Tirá-la do livro e do gabinete. Nessa dimensão, que poderíamos chamar de "teatral" (no que a palavra tem de mais alto e positivo), na medida em que supõe um pólo receptor presente, o poeta reencontra sua antiga voz social. Arrancando do livro a palavra, leva-a de viva voz àqueles para quem escreve. Nos teatros, nas praças, nas ruas, alguém dá forma à emoção amarrada na garganta do homem comum, formula por ele suas interrogações:

América do Sul, por que não sobes
a ribanceira?

E ele responde. E essa resposta é fundamental como realimentação da força do poeta. Também ele começa a saber melhor por que escreve, para quem escreve, qual o seu papel em um mundo em que sua voz se tornou muitas vezes inaudível, um mundo que muitas vezes também está calado ao seu redor.

A experiência da Feira Paulista de Poesia não foi a primeira, nem a única na atividade de escritora de Renata Pallottini. Antes, no espetáculo *Poetas na Praça*, do qual participavam Ilka Brunilde Laurito, Neyde Archanjo, Eunice Arruda – que também foi levado a várias cidades do interior – as dificuldades, bem como as possibilidades desta forma de comunicação, tinham sido experintentadas. E depois da Feira, a palavra dos poetas tem sido, algumas vezes, levada às praças, às ruas, aos auditórios de escolas e universidades.

O mais relevante porém, na realização dos poemas, no caso de Renata Pallottini, é que a mutualidade parece ter ocorrido: o fato novo da comunicação ao vivo afinou-lhe o instrumento, conferiu à sua poesia (inclusive à que vem produzindo depois de *Coração Americano*) uma oralidade que, sem ser coloquial, nem muito menos retórica, acabou por imprimir-lhe um novo tom marcadamente incisivo, uma força particularmente atuante e precisa.

UMA POÉTICA PARA O POVO*

Tal como a ficção, a poesia corresponde verdadeiramente a uma necessidade vital do homem. De todos os homens, sem distinção de idade, raça, credo, classe, nível econômico ou intelectual. Pouco importa que nem todos tenham consciência dessa verdade. Nem por isso ela é menos viva e verdadeira.

No que concerne à ficção, os meios de comunicação de massa, por exemplo – que podem desconhecer as causas, mas atinam perfeitamente com efeitos –, de há muito a descobriram. E o que fazem, através de variadas formas de linguagem, é incrementar essa necessidade e, a seguir, produzir, em escala comercial, para satisfazê-la.

Os fatores determinantes da possibilidade de multiplicação e consumo dos produtos de ficção podem ser inúmeros, mas o fundamental é, com certeza, a necessidade humana de ampliar, de transcender as limitações de cada vida pessoal em sua finitude. Evidentemente, não está aqui em cogitação a qualidade estética ou literária desses produtos, mas tão somente a constatação da necessidade básica que lhes possibilita a existência. É na direção dela que se assesta decididamente o apelo dos meios de comunicação.

No entanto, embora igualmente apta a atender a essas necessidades (e talvez mais importante e eficaz), a poesia não tem sido beneficiada da mesma maneira. Para comunicar-se como poesia propriamente dita, depende ainda

* Resenha de *Noite Afora*, São Paulo, Brasiliense, 1978. Publicada no "Suplemento Literário de *O Minas Gerais*, em 7 de julho de 1979.

de veículos que, não sendo igualmente comercializáveis, são relativamente limitados. Presa ainda à palavra escrita e ao livro, não chega facilmente àqueles para quem, em verdade, é criada. Isto é, não chega facilmente a todos, àqueles que poderiam fazer dela a sua palavra, a sua possibilidade de transcendência, a sua voz. E não se trata, é claro, de nenhuma dificuldade especial inerente à própria poesia. *Não há poesia difícil, há poesia não divulgada.*

Permanece contudo, ainda assim, o fato insofismável de que ela responde a uma necessidade profunda, não só a nível individual, mas igualmente a nível social.

A afirmação não é gratuita: se pudéssemos analisar melhor, por exemplo, o fenômeno da enorme procura e aceitação da canção popular (ainda aqui pondo novamente entre parênteses o fator "qualidade"), talvez verificássemos que, ao lado da música, o que conta nessa procura e aceitação é principalmente o elemento poético, o fator "poesia", isto é, a possibilidade de satisfação da necessidade de exprimir, metaforizar certas dimensões da vida, de lhes dar forma comunicável.

O poeta, o poeta do livro, porém, ao menos entre nós, está confinado ao seu veículo, sujeito sempre a uma fala para poucos. E, no entanto, não são poucos aqueles para quem e por quem fala.

Considerações como essa vêm fatalmente à tona quando temos diante dos olhos um livro como o que Renata Pallottini acaba de publicar: *Noite Afora*. Mais uma vez aí está o poeta no exercício de sua função mais antiga e autêntica: captar e exprimir as inquietações do homem de seu tempo, que são suas próprias inquietações na medida em que ele mesmo sofre esse tempo e nele se integra. Ainda mesmo quando a matéria-prima da poesia que se faz pareça ser a vida pessoal, essa vida é a de alguém de extrema permeabilidade em relação às interrogações e perplexidades de seu tempo, que é também o nosso, que é o tempo de todos. Porque sendo o poeta aquele que por destinação serve à palavra, é sempre o que com ela e por meio dela, serve também aos outros homens. É o "Escravitor" que "... se das palavras não tirar mérito..." terá "... perdido a vida e tudo o que amava" (O Escravitor).

E só há um mérito possível nas palavras: o de pôr em contato os homens entre si, o de exprimir aquilo que a cada um e a todos diz respeito.

No entanto, em um tempo duro em que já não é possível antepor à difícil verdade de cada qual a cômoda proteção das formas convencionais, os valores já completamente elaborados e tranqüilamente aceitos, as frases prontas dos discursos tradicionais, o poeta é permanentemente desafiado a expor-se. E é desnudo e desprotegido que avança para os novos espaços que ele próprio vai abrindo Noite Afora, vida afora ...

Organizado em três partes, o conjunto de poemas deste livro acrescenta à obra de Renata Pallottini um momento de maturidade efetiva. Do mesmo passo que retoma vários aspectos de um trabalho solidamente construído, aprofunda-os, impregnando-os de uma atualidade vívida e dramática, particularmente no que diz respeito à vertente social, já aberta com decisão em *Coração Americano*, seu livro anterior.

A primeira parte "Noite Afora", registra uma densa auto-reflexão. O poeta olha para dentro e tenta situar-se na fluida corrente de sua própria experiência, apanhar-se na complexa visão de seus contornos e caminhos:

> Faço, cortando as ervas, um trabalho doce,
> tão diferente do que me oferecem
> os homens com seus fumos e as mulheres
> donas de pós e panos, que me espanta
> a existência contínua dessas ervas.
> ....
> Quem me dera esta vida ... e quem me dera
> ser capaz de vivê-la... quem possuíra
> um coração tão amplo e simples, que pudesse
> sem se romper de susto ater-se ao campo ...
> ....
> Minhas mãos estão puras e o meu gesto
> cresce no entendimento vegetal destes sumos
>
> (Só Isto)

A este anseio quase vegetal de descomplicação, de despojamento, de retorno à quietute do elementar e do natural, corresponde um fundo senso de liberdade, percebido como um valor tão absolutamente real e palpável, que é por si mesmo inquestionável:

> Como antepor o corte nas montanhas
> – Liberdade – ao dever que a si mesma impõe a terra
> de estender-se conforme o espaço havido?
>
> (Noite Afora)

Uma liberdade não vaga e indefinida, não desbordada e informe, mas inerente ao ser, contida nas próprias virtualidades do ser e que se define como

> ... dever
> de estender-se conforme o espaço havido
>
> (Um Sim)

Uma liberdade, pois, que é preciso cumprir. E é dessa forma que à

> ... grande vida
> de fundas dimensões toda possível até à morte...
> (Um Sim)

o poeta diz um "sim", numa opção difícil, mas nítida e firme:

> aceito toda a angústia que quiser meu coração
> (Um Sim)

E a partir daí, desse "sim" claramente pronunciado, incorpora-se à existência do mundo, aos anseios dos outros, muito bem sabendo que

> Quando o Senhor nos deixa
> sempre há um ser humano encostado no muro
> que vem e nos levanta
> (Poema Duro para se Ter Coragem)

Em "Vinhos", a segunda parte, voltam à poesia de Renata Pallottini os temas da pátria, das raízes mais antigas *(Meu caminho passava ao lado de tudo que é possível),* a Europa reconstruída em sua emoção, que não é nunca um encantamento de turista, mas a comoção mais funda do reencontro, do reconhecimento:

> Avelãs
> Minha avó era velha e contava
> sobre papoulas, pastores
> e aves
> (Canção)

Aí estão presentes muito especialmente os motivos do amor
à pátria de adoção, à Espanha e seu povo

> – Esse povo para sempre dividido
> entre a revolta e o amor ibérico às bandeiras
>
> (Canção)

amor descoberto um dia e infinitamente cultivado:

> Quando eu estiver pra morrer
> levem-me depressa a Madrid
>
> (Delaração de Última Vontade)

Na parte final "Canas" – a ambigüidade do próprio vocábulo *canas* abre um leque de possibilidades semânticas em vários níveis) –, a reflexão sobre o momento de seu país e de sua gente, a viva participação nas angústias e problemas de seu povo, leva o poeta a afiar-se até abrir-se definitivamente como

> Palavra, sangue e faca
> um riso na garganta
> uma exigência de
> espaço

Lucidamente vai-se articulando aí uma autêntica "poética para o povo". O povo se transforma na resposta mais satisfatória a um sem número de interrogações que se vinham colocando ao longo da obra (de certa forma, de toda a obra de Renata Pallottini) e se torna a provável explicação para certa "estranheza" a que muitas vezes é levada esta poesia, inclinada a se interrogar, a indagar-se permanentemente sobre seu por quê e seu para quê:

Vejo a palavra
escrita
e estranho
essa palavra.
A minha mão
e o hábito da escrita
e o processo mental
que redunda
na escrita
(A palavra Escrita)

A estranheza acaba por dar lugar a uma clara afirmação, a um desassombrado compromisso:

Eu me proponho escrever o Poema
eu te convoco e peço uma pena
prometo dar o sangue
se deres a palavra
prometo dar à luz
se me deres a alma
prometo dar um grito
se me ferires a faca
(Poética para o Povo)

É esse grito que se torna o motivo dominante, o som mais agudamente audível de toda esta "poética para o povo" que é, na verdade, *Noite Afora*. É ele que se ouve atravessar com estrondo o ar (mas depois perder-se, desviado) no "Dia em que o Corinthians Foi Campeão", enquanto

... a massa marcha pelo Morumbi
acima e abaixo
brandindo os paus de gol e a sua fúria

e provocando

O EXERCÍCIO DA POESIA | 199

... um minuto de espanto no olho do guarda
um minuto de espanto no pano da farda
um minuto de espanto no governador...

Se é verdade, por um lado, que a inquietação social tem atingido a poesia de muitos de nossos melhores poetas, por outro, podemos dizer que raras vezes ela se reveste do caráter que assume na poesia de Renata Pallottini, muito raramente encontra este timbre. Não são certezas planetárias o que esta poesia proclama, mas uma intensa identificação afetiva com a maneira de ser do homem do povo, a funda compreensão das alegrias e dores mais humanas desse homem quase sempre esquecido pela festividade dos milagres. Se ela pudesse chegar efetivamente a esse homem, se pudesse cumprir sua vocação mais legítima que é tornar-se a voz de muitos, dos que se conservam calados, os objetivos mais autênticos da verdadeira poesia teriam sido alcançados.

E o povo teria encontrado seu poeta e sua poesia, como convém. Porque ter poetas é um direito do povo e a ninguém é lícito privá-lo dele.

RENATA VOLTA INVENTANDO AVES*

Mais de uma dezena de livros e muitos anos dedicados à poesia desembocaram agora, nos últimos dias de 1985, no aparecimento de *Ao Inventor das Aves*, de Renata Pallottini. Antes disso, a sua obra passara por fases e caminhos vários: da feição interrogativa de *O Monólogo Vivo*[1], à postura quiçá geração de 45 de *A Casa*, bom livro editado pelo Clube de Poesia de São Paulo, em 1958. Aliás, a autora pertenceu e ainda pertence ao Clube, do qual é hoje diretora. Isso não a impediu, no entanto, de enveredar pelos caminhos ditos participantes, em *Coração Americano*[2], principalmente, mas ainda em outras obras, das quais fala até o título, como *Cantar meu Povo*[3].

Mais de uma dezena de livros depois, portanto, esta publicação de agora vem confirmar e reformar certas posições tomadas ao longo da vida da escritora. Confirmar, por exemplo, as colocações onde transluz a preocupação predominantemente social:

> Um dia há de chegar o amor que dizem:
> sol, futebol, trabalho, beijo, pão.
> Então será Natal.
> Mas só então.
>
> (Natal na Febem)

---

* Resenha de *Ao Inventor das Aves*, São Paulo, Scortecci, 1985. Publicada no "Suplemento Literário" de *O Minas Gerais*, em 12 de abril de 1986.
1. São Paulo, edição da Autora, 1956.
2. São Paulo, Meta, 1976.
3. São Paulo, Massao Ohno, 1980.

E reformar certas outras, onde uma espécie de pudor voluntariamente conservado impedia a autora de se confessar feliz, ou de se atirar contra o mundo dos felizes; felicidade eternamente contemplada de fora, como se estivesse protegida por um muro, campo ao qual só tivessem acesso alguns poucos eleitos. Agora, não; agora há lugar para a confissão triunfante:

> Bebo um copo de água
> e me sinto possível
> me sinto sensata
> mas com um sonho n'alma...
> ... e me sinto Renata.
> Que pedaço tão doce
> de vida me coube
> que gole de leite
> me escorre da boca!

É curiosa essa bipartição, quando o poeta se sente ele próprio e se vê a si próprio! Quem melhor que ele, aliás, para ver-se?

> Olhaí, menina
> outro cometimento
> Jorge de Sena é bom,
> que não será
> Renata do Tietê?

Há lugar também para o grande assalto à mansão da Felicidade, não mais privilégio de poucos:

> Saí da fossa
> menina
> e voltei para a palhoça

Viva eu! Viva a patota!
Que conste: saí da fossa.

"Sair da fossa", aliás, é uma das palavras de ordem do livro: ele tem, claramente, duas partes: a primeira delas, informada pela Morte, cujo ponto central é, com certeza, "Passagens":

> Passagem: muito mais simples.
> Um corte na carne, a divisa.
> Um dia te despertam
> e alguém está dormindo...
> Levantas, e o café
> tem gosto de alumínio
> e tens de fazer tudo
> porque é preciso;
> e depois velam um corpo.
>
> e depois estás vivendo
> sem dar por isso.

E é exatamente essa a segunda parte. Vivendo sem dar por isso, talvez a autora esteja também fazendo poesia sem dar por isso. E a faz de muito boa qualidade.

RENATA DO TIETÊ*

> Para apreender mais de perto a operação da imaginação criadora, é preciso... virarmo-nos para o invisível interior da liberdade poética.
>
> J. DERRIDA, *L'écriture et la différence*.

Difícil entrar sem tremor neste universo, neste mar feito de beleza, de humor inteligente, de vivo espírito, quase sempre amargo, que é a poesia de Renata Pallottini.

Não seria, com certeza, em poucas frases como estas que se poderia eficientemente analisar o competente desempenho do artista – o perfeito manuseio da palavra e o fino acerto do que ela tem para dizer, a rica maturidade da forma, em suma – que atingiu a produção do poeta.

Prefácio, aqui, praticamente um excesso. Prefaciar, invocar a atenção do leitor, captar-lhe a predisposição a fim de torná-lo permeável ao que o livro lhe vai dar – uma desnecessidade. Ele será apanhado de qualquer maneira. O leitor prevenido, informado, habituado à leitura de poesia, saberá fruir a riqueza do contraste e da imprevisibilidade que, segundo os estilistas, definem o cerne da linguagem verdadeiramente poética; o leitor mais espontâneo, desarmado (ou quase), desprevenido da possível degustação formal, encontrará, do mesmo modo, a fonte dessa fruição: a ponta aguda do estilo (da palavra) que o atingirá em áreas particularmente sensíveis.

* Resenha inédita de *Ao Inventor das Aves*.

Nada, portanto, a ser dito com antecedência. Imprescindível mesmo é penetrar de peito aberto, é aceitar como um desafio a inquietante proposta que nos fazem os poemas: a de tocar com decisão o fundo de certas feridas, a fronteira intransponível da não-resposta a certas perguntas; a de rever o mundo por sua face indecifrável: Deus e a morte, o amor, o tempo. A unidade que conforma o livro é feita da diversidade das vertentes que o compõem. Desde o longo poema de abertura, "Ao Inventor das Aves", a funda reflexão do poeta percorre as coisas todas com que o homem tem de se haver – o mundo que o cerca, vário e desnorteante muitas vezes, e aquele que mantém dentro de si mesmo, zonas extremas de uma interpenetração irrecusável e difícil. É, em essência, desse "inventor da roçagante humanidade" (e dessa humanidade mesma) que fala o livro. Dos homens todos, santos e ladrões, crianças violentadas que conhecem a fome, amantes atentos que conhecem a finitude do amor, poetas que conhecem a finitude da fala:

> Esta palavra é tão pouca
> que ao se dizer fere a boca.

Nos livros de Renata Pallottini, os temas se retomam ao longo do tempo. Desde os primeiros, eles dizem da vida e formulam em nosso nome as perguntas que fazemos sem palavras:

> quanto tempo, há num homem
> antes da morte?

revelam as perturbadoras descobertas que o poeta faz por nós, esboçando figuras que, como nesses desenhos enigmáticos da infância, surgem somente quando se vão ligando uns aos outros os pontinhos que antes pareciam soltos:

    É que os mortos, ou são deuses
ou não são nada.

O homem e o caldo social em que está mergulhado – sem o qual não é, não chega a ser – suas possibilidades inumeráveis e seus limites, sua necessidade de justiça, de amor, e seus atos injustos, o passado vivo no corpo, o futuro esperado nas coisas mais simples e inalcançáveis:

    Um dia há de chegar o amor que dizem:
sol, futebol, trabalho, beijo e pão
Então, será natal.
Mas só então.

o desejo de repouso em tardes de folha e águas, os animais mansos de amor paciente e não-problemático, os mares e os navios, a solidão que às vezes se chama liberdade.

Aqui também, mais uma vez, o poeta e a poesia se fazem motivos de poemas. O fazer poético e o impulso dos que a ele se entregam; a crença na vocação como no chamado de um deus inominado:

    acredito num ser que me espreita
e projeta
acredito que sou poeta

passa por uma autêntica autodefinição

Jorge de Sena é bom
que não será Renata
do Tietê?

>Ela se esconde
>se desencontra
>porém de vez em quando
>sai da sua toca
>e canta

E o poema se faz como uma pérola:

>O que faço
>o que posso
>faço-o com esforço...
>mas um dia o palácio
>de pérola do verso
>ele mesmo me assalta
>...
>E é tudo tão doce

Buscar essa pérola no fundo das palavras, atingir a alegria de encontrá-la – eis o convite. O único e definitivo que se pode fazer ao leitor.

RENATA PALLOTTINI, UMA VIAGEM*

Em dois dos últimos livros que publicou, Renata Pallottini confirma sua vocação de poeta primordialmente voltada para o mundo – o mundo que, mesmo habitado pelo outro, pelo diferente, permanece antes de mais nada como a pátria do homem.

O outro – outra terra, outro tempo, outra gente – é, afinal, sempre o mesmo homem, passível das mesmas angústias e dores, capaz das mesmas alegrias e das mesmas canções. E a alma do poeta se abre para acolhê-lo.

Em *Praça Maior*, mais uma vez Renata Pallottini volta às terras de Espanha, a suas cidades, a essa Madrid tão amada. E nos convida a percorrer com ela suas praças e pátios, a caminhar pelas velhas ruas de pedra que os passos de outros homens foram polindo, onde flutua ainda a sombra de seus poetas e o eco das palavras que disseram; casas, árvores e coisas pejadas de tempo; o tempo e a vida desse povo para sempre dividido entre a revolta e o amor ibérico às bandeiras. Chama-nos a provar o áspero vinho de *obrero* em suas tavernas esfumaçadas, a aquecer as mãos segurando nos bolsos castanhas quentes nas noites de inverno.

Porém, mais do que convidar-nos para essa viagem, os versos de *Praça Maior* – em que muitas vezes ressoam vozes daquela "língua estrangeira tão bem amada e rebelde/ como um animal novo que se quer conter nos braços" – nos levam com eles, arrastam-nos nas imagens e ritmos que acor-

* Resenha de *Praça Maior*, São Paulo, Roswitha Kempf, 1988. Publicada no "Suplemento Literário" de *O Estado de S. Paulo*, em 2 de setembro de 1989.

dam em nós, da rambla de flores em Barcelona à pequena praça de Salamanca, onde o sol de inverno faz cintilar cristais de gelo sobre as últimas pétalas coloridas; da atmosfera antiga do Santuário de Compostela, impregnada de incenso, à visão trêmula desse pobre "Cristo de Los Faroles", numa pracinha escura e solitária de Córdoba. Por toda parte, a gente de Espanha, seus homens, suas mulheres, seu povo.

Não é, com certeza, o roteiro de um turista – o olho curioso que registra, à distância, o diferente, o exótico, o visitável – o que nos dá *Praça Maior* –, mas o traçado de um mapa em que o amor desenha os caminhos para o encontro do outro. Porque, se há um traço marcado na personalidade poética de Renata Pallottini, esse traço é o dom de integrar de tal forma o "diferente", que ele pode deixar de ser o estranho, o estrangeiro. A sensibilidade do poeta, inclinada amorosamente para ele, para esse outro, consegue encontrar o núcleo comum que faz dos homens, por diversos que pareçam, uma só humanidade. É dessa comunidade humana que nos falam seus poemas, sem que os homens que a formam deixem de ser singulares, acolhidos na sua singularidade. Mas o poeta percebe essa humanidade única na extensão do tempo: capta no presente a imanência de um passado ainda vivo, de modo a tornar esse presente não um momento imóvel e isolado, mas um ponto no *continuum* dos anos, na totalidade da vida, dentro da qual o homem é uno e inteiro, sempre outro e o mesmo. Não há no tempo fronteiras, como não há fronteiras no espaço.

É por esse mesmo caminho que descobre a Grécia, uma Grécia visceralmente tão mediterrânea quanto a Espanha e a Itália.

Esse Vinho Vadio¹, o segundo livro, conta a peregrinação do poeta aos lugares sagrados da Grécia. O título fala, sem dúvida, daquele mesmo produto do sol e do solo que se pode provar na Andaluzia como em Nápoles, o vinho do Mediterrâneo, de que o mar de Homero pode tomar a cor ao entardecer; o vinho que Dionísio criou para embriagar de vida e de divino entusiasmo seus fiéis mais verdadeiros, esses poetas que, ao longo dos séculos, não se cansam de cantá-lo.

Novamente, não é a Grécia dos turistas que Renata nos dá, para onde nos levam seus versos, mas a Grécia que a emoção descobre para além dos monumentos, na beleza quase secreta de colunas em pedaços, na cabeça espumejante de um cavalo por acaso plantado no mar azul de uma praia de Mykonos, no silêncio de um Epidauro deserto, onde ainda se podem adivinhar, vindas do fundo dos tempos, as lamentações do coro por Antígone, que vai morrer sem conhecer o amor, nos campos hoje áridos de Creta, onde

> Fedra apascenta, entre rebanhos
> Sua tragédia

essa Grécia, em suma, onde por toda parte se ouve

> o profundo rumor do passado
> esse esbelto navio

Mas como não há catálogo de viagem que possa substituir a experiência do contato vivo com esses mundos, a que também nós, todos nós, pertencemos, assim não há, igual-

1. São Paulo, Massao Ohno, 1988.

mente, resenha alguma que substitua a aventura de experimentar com o poeta — na nave sonora e plástica de seus poemas — a emoção incomparável de andar com ele por essas terras e tempos.

No terceiro livro, publicado quase ao mesmo tempo que os dois mencionados, Renata Pallottini faz ainda uma viagem. Não mais no espaço de um mundo, mas no tempo de um homem.

Em *Café com Leite*[2], poemas para crianças, a autora revela a mesma possibilidade de assumir em sua poesia o outro. Esse outro é aqui, no entanto, a criança, um ser para nós muitas vezes tão estranho quanto o habitante de uma terra distante. Um habitante desse país da infância tão maravilhoso e para sempre perdido.

A memória sensível do poeta consegue recuperá-los — a esse ser e a esse país — sem a superposição da poeira que o tempo do adulto depositou neles, dando-nos aquilo que é a vida ainda verde da infância. Poemas simples, que vêm com todo o sabor das tardes de café-com-leite e pão com manteiga, rompendo os momentos de alvoroço da brincadeira.

Coisa rara, no Brasil, uma literatura infantil não infantilizada. É preciso conhecê-la, a ela e aos outros dois volumes que, entre 1988 e 1989, nos dão a medida atual da poesia de Renata Pallottini.

---

2. São Paulo, Quinteto Editorial, 1988.

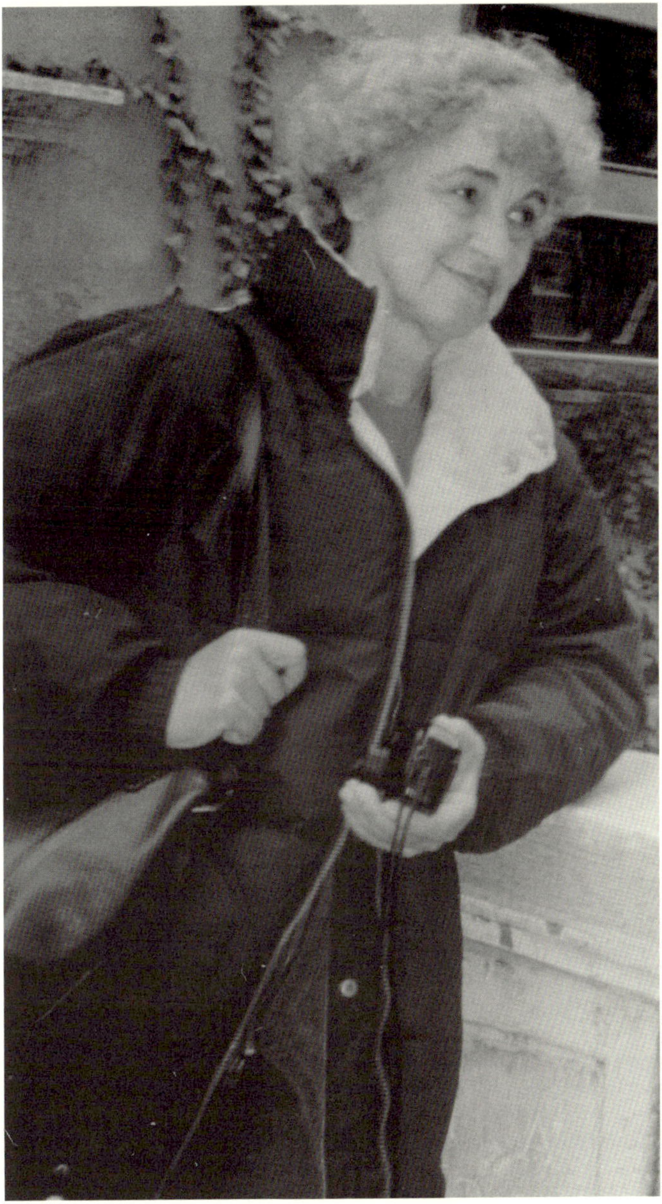

OBRAS DA AUTORA

Poesia

Acalanto, São Paulo, edição da autora, 1952.
O Cais da Serenidade, São Paulo, Pocai, 1953.
O Monólogo Vivo, São Paulo, edição da autora, 1956.
A Casa, São Paulo, Clube de Poesia, 1958.
Nós, Portugal, Portugal, edição da autora, 1958.
Antologia Poética, Venezuela, Lirica Hispana, 1958 (trad. para o espanhol por Hugo Emilio Pedemonte).
Livros de Sonetos, São Paulo, Massao Ohno, 1961.
A Faca e a Pedra, São Paulo, Brasil Editora, 1965.
Antologia Poética, Rio de Janeiro, Revista Leitura, 1968.
Livro de Sonetos (2. ed.), São Paulo, Edições Comentário, 1970.
Os Arcos da Memória, São Paulo, Editora do Escritor, 1971.
Coração Americano, São Paulo, Meta, 1976.
Chão de Palavras (Antologia), São Paulo, Círculo do Livro, 1977.
Noite Afora, São Paulo, Brasiliense, 1978.
Coração Americano, São Paulo, Feira de Poesia, 2. ed., 1979.
Cantar Meu Povo, São Paulo, Massao Ohno, 1980.
Cerejas, Meu Amor, São Paulo, Massao Ohno, 1982.
Ao Inventor das Aves, São Paulo, Scortecci, 1985.
Esse Vinho Vadio, São Paulo, Massao Ohno, 1985.
Praça Maior, São Paulo, Roswitha Kempf, 1988.
Obra Poética, São Paulo, Hucitec, 1995.

Prosa

Mate é a Cor da Viuvez (contos), São Paulo, Editora do Escritor, 1975.
Nosotros (romance), São Paulo, Brasiliense, 1994.
Nosotros (trad.), Paris, L'Harmattan, 1997.
Ofícios & Amargura (romance), São Paulo, Scipione, 1998.

Ensaios

Introdução à Dramaturgia, São Paulo, Brasiliense, 1983.
Introdução à Dramaturgia (2ª edição), São Paulo, Ática, 1988.
A Construção do Personagem, São Paulo, Ática, 1989.
Cacilda Becker, São Paulo, Arte e Ciência, 1997.
Dramaturgia de Televisão, São Paulo, Moderna, 1998.
Chão de Palavras, Florianópolis, Poesia Manuscrita, 2000.

Literatura Infantil

Tita, a Poeta, São Paulo, Moderna, 1984.
O Mistério do Esqueleto, São Paulo, Moderna, 1985.
Café com Leite (Poesias), São Paulo, Quinteto, 1988.
Do Tamanho do Mundo, São Paulo, Moderna, 1993.
Anja (Poesia), São Paulo, Quinteto, 1997.
Sempre é Tempo, São Paulo, Moderna, 1998.
O Livro das Adivinhações, São Paulo, Moderna, 2000.

Paradidáticos

Guarani (adaptação de José de Alencar), São Paulo, Scipione, 1999.
Romeu e Julieta (adaptação de Shakespeare), São Paulo, Scipione, 2000.
A Moreninha (adaptação de Joaquim Manuel de Macedo), São Paulo, Scipione, 2001.

Teatro

Sarapalha (adaptação), São Paulo, Revista Diálogo, 1957.
A Lâmpada, São Paulo, Revista Prisma, 1959.
Geminis, São Paulo, Revista Academus, 1963.
O Escorpião de Numancia, São Paulo, Conselho Estadual de Cultura, 1969.
Pequeno Teatro, São Paulo, Ila-Palma, 1970.
O Crime da Cabra, Rio de Janeiro, Revista da SBAT, 1973.
A História do Juiz, Rio de Janeiro, Revista da SBAT, 1975.
Pedro Pedreiro, Rio de Janeiro, Revista da SBAT, 1986.
Colonia Cecília, Porto Alegre, Tchê, 1987.
A Vida é Sonho (trad.), São Paulo, Scritta, 1992.
Enquanto Se Vai Morrer..., São Paulo, Teatro da Juventude, 1997.
Sarapalha (2ª edição), Minas Gerais, Revista Extensão, 1999.
Os Loucos de Antes, São Paulo, JN, 2000.
Colônia Cecília, Rio de Janeiro, Letralivre, 2002.

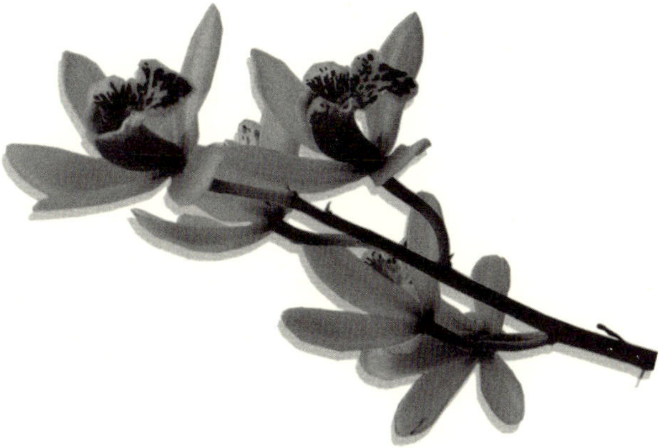

ESCOLAS PROFISSIONAIS SALESIANAS
Rua Dom Bosco, 441 – Mooca – 03105-020 São Paulo - SP
Fone: (11) 3277-3211 Fax: (11) 3271-5637
www.editorasalesiana.com.br